こちら葛飾区亀有公園前派出所⑲

秋

# こちら葛飾区<br>亀有公園前<br>派出所⑲

## 目次

両津式貯蓄法!?の巻

あっ
ふう…
みなさん お暑い ですねえ〜

先輩 どうしたんです その顔……
顔が どうか しましたか？
顔色 悪いわよ ものすごく
顔色ねえ そんなに ひどいか
このところ カップラーメンの日々が つづいたからな…
心なしか そば色に なってきた 気がする
いったい いつから たべてるん です？
今日で 42日目だ
また ギネスに 挑戦ですか？ あまり 無理しない ほうが……
今度は 本物の 生活苦だ

ちょいと どいてくれ 行商の 道具を だす
ねえ 栄養失調に なるわよ そんなこと してると
金を ためてるんだ 多少の 犠牲は やむをえん
えっ 先輩が!!
貯金を!
先輩 熱が あるんですか?
ばか! わしが 金をためて どこが悪い!
おい なにを さわいで るんだ

…………
どうしたんだその顔は
人をお岩《いわ》さんみたいないい方しなくてもいいでしょう
ぎょっ
42日間カップラーメンでくらしたらこのように変身したんですよ
おまえのやりそうなことだ
ん?
なんだこの箱は?
うわっ!かぶと虫だ!
あっだめ!

ばかもの こんなものを もってくるんじゃない!
せっかく あつめたのに もう〜〜〜っ
なにっ
貯金するために 近所に かぶと虫を 売り歩いてるだと!?
どうせ ろくでもない 金だ! 借金か かけごと だろう
それ! その偏見が 不良を うむ 原因!
あまり 大きな声 ださないで! 腹に ひびくから
ほう じゃあ なにに 使うか いってみろ
別に いいじゃ ないすか

おまえが 自分から貯金をするなど正気のさたとは思えん
いってみろ
男の秘密!
かくし通せると思うか!
いってみろ
しつこいなあ 秘密だってば
どうしても いえんというのか!
うっ
わかりました! いえばいいんでしょ
荒勢《あらせ》のがぶり寄り以上に迫力が あるな くそ!
馬ですよ 馬を買うためにためてるの!
なにっ 馬だと!?
その年で 竹馬なんか 乗る気か?
ちがいますよ 本物の馬! 生きた馬!

競走馬で実力馬がいるんですよ
こいつは今に ハイセイコーをしのぐ名馬になります
私の目にくるいはない！
それでその馬いくらぐらいするんだ
1800万円です
1800万円!?
今いくらぐらいためたんだ
現在一万七千五百八十円
あと千七百九十八万二千四百二十円です
先輩無理しないほうがいいんじゃないですか
そうよのんびりためたほうがいいわよ

うるさいな わしの貯蓄計画にケチつける気か？
い…いや そんなつもりじゃ
わしの発案した倍々貯蓄であと10日で1800万円たまるのだ
えーっ まさか！ 10日で1800万円なんて…！
なんと無知《むち》なやつだ
いいか 金をためるにはちゃんと計算せねばいかん
わしの倍々貯蓄とは明日は今日の倍 貯金する！ たとえば 一日に10円から始め 次つぎに ふやす……
1日目 10円
2日目 20円
3日目 40円
4日目 80円
これなら無理なくためられるわけだ
みよ この表を！
バーン
両津式倍々計画
現在 17,580円
1日 351,60
2日 703,12
3日 140,625
4日 281,250
5日 562,500
6日 1,125,000
7日 2,250,000
8日 4,500,000
9日 9,000,000
10日 18,000,000
現在 すでに一万七千五百八十円もためておるのだ
計算ではあと10日で終了する むふふふ

私は この計画表を 作るために 1か月かかって 計算した
この貯蓄法は 私の特許だ 他言は いかん
本気で たまると 思ってるの かな?
10日目の 900万円って どこから もってくる 気かしら…
そうか 今日は 札幌《さっぽろ》記念《きねん》の ある日だ
貯蓄に 気を とられて 忘れていた
ちょいと 馬券 買ってくる
先輩! 貯金 しなくて いいんです か!
ばか! ギャンブル資金は 貯金の対象外だ 酒もタバコも 同様!!
これ すべて 生活必需品 なくては 生きてゆけん
じゃ 貯金の 対象という のは……
なくても 生活に 関係ない 服とか 日用品だ
食費も 一か月2000円を 限度とする

まるで逆ですよギャンブルが一番ムダじゃないすか
見解の相違だな……………
凡人と天才の!
信じがたいよ本当にお金ためる気あるのかな…
その気はあるみたいだけど……
亀有公園前派出所
う〜む
562.500
1.125.000
7日 2.250.000
8日 4.500.000
9日 9.000.000
10日 18.000.000
おかしいな急にためるのがきつくなったぞ
計算では無理がないはずだが……

多少きつくなることは覚悟してたけどなう〜む
もう一度計算してみよう
うすうす感づいてきたみたいだね
でもあくまで押し通すつもりよ
やっぱあってる！
こんなことならボーナス貯金しときゃよかった
今となってはあとのカーニバル…
よし今日から食費を1か月1000円にきりつめよう！
先輩先輩
そんなに無理して体こわしちゃ元も子もありませんよ
ほかでためたほうがいいですよ
おまえも協力してくれるか
ええいいですよ……
質
MGG
DOBON SHOP
MODELGUN・GUNMODOKI

カーショップ
質
かめあり
ビリヤード
ポケット台
四ツ玉
先輩 これ だいじょうぶですか
一升ビンか! 上等だ
よーし これだけあつまりゃ上等だ
ようし次はこっちだ
電柱工事のあとは下を よくさがすこと
止まれ
アカといって銅線のカケラがおちてる時がある
そんなのどうするんです

鉄クズ屋に売るんだよ銅は高く買ってくれる
昔は銅の洗面器があってな
家のを売ってひっぱたかれたもんだ
ほら！真ちゅうの針金みつけ！
そんな少しじゃだめですよ
ばか！ちりもつもればマウンテン
この精神が大切だぞ
その前に店の近所をくまなくさがせ
THE・SAKEDAZE
この酒屋でとりかえましょう
あった！
みろ！大金だ
なんですかそれ！
現ナマ50円の元！
50円
しらずにすてていくやつがいるまだまだあるはずだ！
ハイエナみたいだな……

520円か けっこう なりますね
行楽地へ いけば もっと ころがってるん だがなあ
今日は 不調だ
…と話しつつ 自動販売機の 返却口へ なにげなく 手が すべりこむ
自然に そこまで いくとは さすが
ばかっ これも 生活苦で やむをえん 行為だ
…と いいつつ 公衆電話の 返却口へ 手が……
中川《なかがわ》 あそこに ある 自転車 どう判断 する……
は?
置いて あるのか あるいは…
おちて いるのか
そりゃ ゴミに きまって ますよ

しからば えんりょなく いただく
ガチャ
あっ
おちてる物は わしの物 これぞ 放浪者哲学
こりゃ 鉄クズ屋に 売れるぞ
ダイナモも まだ 使える！
貯蓄への ガッツは まったく すごい 見習うものが あるな……
125番台が あいてたぞ ちょっと 5000円ばかり やってくる
ジャラ
ジャラ
チン
あれが わかんないよ 凡人と天才の ちがいかな
ちょっと 中川 自転車 もってってくれ
え？
ガタ

だめだっ
どうしてもいきづまってしまった!
両津式《りょうつしき》倍々貯蓄計画失敗だ!
先輩そんなに気をおとさないで
あと10回なのにくそ!くそ!
だめで元もとだっこの金で馬主になってやる
中川きてくれ
キイッ
ここだここに名馬がいるんだ
よくさがしましたね

ありゃ いないぞ
散歩 かな……
そこの馬なら きのう 売れちまった だよ……
なん だって！
ちくしょう 一歩 おそかった か！
そりゃ 残念 だったね
おやじさん あの馬 ほしいんだよ 19000円で！
いちまん きゅうせん えん
あんた 正気かい 馬っ子が 19000円で 買えると 思ってるのか
正気だ！ この目を みてくれ
う〜む
よっしゃ その無鉄砲さが 気にいった 19000円で売ろう
本当!? やったーっ 馬主になれる

★週刊少年ジャンプ1981年34号

スペシャル税!?の巻
うほほーい
食品
食品
食品
みかん

あと20メートル
あと10メートル
あと3メートル
50センチ
両津選手ゴールイン!
グリコ
キッ
すばらしい走りだ だれもついてこられん
どうしたんです そんなにいそいで
むふむふぶふふぶふふ
気味の悪い笑い方ね

みよ！泣く子もだまる給料袋
この顔に ピーンときたら 110番
あっ
給料日は明日のはずじゃないですか！
経理にたのんで特別に今日もらったんだ
まんが本を発売日より早く買う気持ちと同じだむふむふ
まったく！
一日早いとずいぶん得した気分だな
まもなくモデルチェンジする一万円ちゃんひさびさのご対面だね
この世で信じられるのはきみだけだよ
いつまでもはなれないでおくれよ
どうせ また一週間できえてなくなるんでしょう
うるせえな人の生活に口だすなっ
両ちゃんにハガキがきてたわよ
ん？どんな…

無申告加算所得確定整理資金特別徴収第一期スペシャル税納税通知
亀有税務署 納税課
特殊強制回収部門
(691)イロハニ(代)
なんのことだかさっぱりわからん!
どうしたんです
中川 これ 翻訳《ほんやく》してくれ まるで中国語《ちゅうごくご》
いいですよ
ようするに納税のおしらせですね
なんだノーゼーって?
税金をおさめることですよ
わははは!
納税がそんなに楽しいんですか?
ばか! そんな人間がこの世にいるか
わしは自慢じゃないが税金とMHK《エムエッチケー》の受信料は一度も払ったことがないすごいだろ!
ははは まさか!

わしがうそついてるとでもいうのかおい！
だって税金は自動的にとられているんですよ
なにっどういうことだ
ぼくたちサラリーマンは給料もらう時すでに 税金をひかれてるんです
まさか………
先輩の明細書にもちゃんと かいてありますよほら！
い…今までこんな紙みたことなかった…
これだもんな…
住民税や年金など金額が かいてあるでしょう
四万も毎月ひかれていたとは………
ゆるせん…
おいこの金だれがとってるんだ
税務署ですよ

よし ちょっと 話つけて くる！
ガバ
ちょっと まって！
話つけるって どうする 気ですか！
ばかやろう 人の金 かってに とられて だまっていら れるか！
納税は 国民の 義務 ですよ！
グイ
だれが きめた！ はなせ くそ！
グイ
はなせってんだよ！
うわっ
わしに ことわりもなく とるとは ドロボウだ！
かならず うばいとって くるからな！
両ちゃん！
とめるな 麗子《れいこ》！
ついでに スペシャル 税 はらって きたら

ダッ
このハガキもたたきかえしてやる！いってくるぜ
まるでケンカ腰ね！
大変だ部長に連絡しといたほうがいい！
亀有税務署
全国に躍進する税務署チェーン あいてて良かった！
納税は早めに脱税はひかえめに
頭金なし 36回分割税!! これはとくだ！
サラ金 極悪会
いつもニコニコ明るい税務所
ザッ
ガシャ
納税課
たのしい納税
ダダダダ

ねえちゃん責任者だしな!
きゃあーっ
どいつだ責任者 話がある でてこい
きゃあーっ
強盗だ 110番に早く!
おちつきなさい! 千葉《ちば》くん
ガチャ
強盗とちがう ただの納税者だ
え?
季節のかわりめになるとああいうのがよく くる
わしにまかせなさい!

これはどうも税務署にわざわざ
さわやか納税
きたな!金の亡者《もうじゃ》ども人の金とりやがって!
かえせよ わしの四万円 先月のも 先先月のも 先先先…
ここではなんですから 奥へ
ごまかそうとしてもだまされんぞ!
まあまあ奥へ!
まあ奥へ その一言でごまかされ……
なぐりこみだなまるで
どうせ公害だクーラーは目いっぱい
タクシーを利用しよう
あの課長にまかせとけばだいじょうぶさ
どうぞこちらの部屋へ
使用中
特別説得室
すごい厳重だな

お茶でもどうですか？
完全防音室《かんぜんぼうおんしつ》
どんなアホにもわかる税の全て
あなたも20日間で税がわかる
合宿税コーシュー会
税のワンツースリー
いつもきれいな明朗会税
税金さんコンニチワ
のん気にお茶なんかのんでられっかよ金かえせ！
わけのわかんねえ税金なんかとるな！
よろしい
ご説明いたしましょう
一般民間人の税金
税金の組織図
親方日の丸
政治家
公務員
みやげ代
出張費
タクシー代
会議費
給与
その他公共事業にも使います
税金
民間人
物品税
企業ワイロ
公営ギャンブル
まんが家
うっ
税金には所得税に都民税特別区民税がありまして…
それが手だ！

漢字ばかりで しゃべりやがって わしら一般庶民に わかりにくく してるんだ
給与
よろしい
ガタン
一般民間人税金
税金の組織図
わかりやすく ご説明 しましょう
めで見るやさしい税金
君もはらおう
おおっ
税務署も なかなか 味な マネを…
タヌキ村の まん中に 大きな川が 流れてます
これを わたらないと エサを とりに いけません
およいで わたったり イカダを 使ったり 大変不便です
そこで 頭のいい ポン太《た》は みんなから お金を あつめて 橋を つくる ことにしました

それからは自由にいかれだれもがしあわせにくらしているとのことです
わかりますか！この意味が！
うっ
みんなでお金をだしあい協力することによって村に橋や道路ができるこれが税金の法則です
めで見るやさしい税金学
君もはらおうね
ひとりでも非協力者がいると橋ができません
ひとりでもです！
ひとりぐらいいたってわかるもんか！
そこを説明しましょう
税金学
ドッ
まだあるのか！

ここに キツネ村が あります
非協力的な キツネ ばかりが すんでます
橋を かけるため お金を あつめようと しても あつまり ません
だれかが 払うと 思ってる からです
翌年 キツネ村は 全滅して しまいました
うそだっ わざと らしい!
わしらは キツネと ちがう 人間だぞ 人間!
なかなか ガンコな 人だ
それに 旅行費500円って のは なんだ! 税務署が 熱海《あたみ》に でも つれていって くれるのかよ!
それは おたくの 警察署のこと しりませんよ
さからう人のための 税金学
どれ ちょっと みせて ください
よくみろ
なるほど 少し返済 されますよ
えっ 本当!?

1891番の所得納税返却希望窓口へいってみなさい
ビュッ
やった!
課長本当にもどるんですか?
いいやきっと窓口樹海にまよいあきらめて帰るだろう
1891番の窓口なんてどこにもないぞ
整理
相談課
納税部隊
第十四分隊
この先10M
税務課
総務係
コース
所得税係
固定資産税係
目標 税100% 徴収!
源泉税 第三窓口
順路
税務課
おい金もどるってきいたんだが…!
はい
こちらのはスペシャル税ですので払っていただきます
なんだとまたはらうのか
いったいいくらとる気だ…?
今計算します延滞金がついてますから………
コンピューター係員
ピピッ
キーンキーン
ちょうど一億二千万九千五百円ですね
コンピューター係員

ばかいうなっ
そんな金
払えると
思うのか!
30年分の
延滞金が
ついてますから
ふえたんです
早めにおさめて
ください
そうでないと
年14・6%《パーセント》
さらに加算
されて
いきます
一億なんて
どうやって
払うんだよ
バカッ
あっ　失礼
豪華版
特別延滞金
千五百万円
プラスです…
ちょっと
まってろ!
ら…乱暴は
よしてください
おちついて
話しあい
ましょう!
一億なん千万円も
払えと
いわれて
おちついて
いられるか!
ダッ
きゃあ
ーーっ
きっと
あなたは
高額所得者
なんですよ
なんだと!
高額所得者が
自転車で
税務署に
くるかよ
こらっ
そ…
それも
そうです
ね………
ユサ
ユサ

なんとかしろっバカ!
なんとかといわれても払っていただく以外に方法が………
だからどうやって払うんだよそんな金
おっ両津こんなところにいたか!
あっ部長
大好き 納税
中川からきいたぞ税金の抗議にきたそうだな
あたり前ですよ私に払えるはずない!
しようのないやつだ今回に限りわしがたてかえてやる…いくらだ?
一億二千万九千五百円
なんだと?
一億二千万九千五百円ですよ
ピク

おまえ いったい なにを したんだ そんなに 税金を 払うとは！
しりま せんよ 私も！
本当 なんですか 一億数千万の 税金って!?
はい
この男は 金を ためるなど 不可能です 10万円 ためるにも 100年は かかります
し… しかし そう いわれても…
きっと なにかの まちがいです もう一度 調べて ください
はあ………
両津 今 調べて もらってる からな 心配するな
本気で わしから とるつもりかよ あのバカども
なにっ まちがい だった！

コンピューターが別の人とまちがえてしまったそうで…申しわけありません
あたり前だよ貧乏人を強調させやがってくそ!
警官がそんな給料とれるかあのボロ警察がそんなにくれるか!
あのクソ警察が………
コホン
あのすばらしい警察はくれないんだよ
おわびといってはなんですが
そんなタオルなんかでごまかされるか!
税務署ならこれがあるだろうこれが
こういうものでわびろよ
わかりましたさっそく!
話のわかるやつだ
ドーナツとちくわのつめあわせです
どういう感覚してるんだおまえ

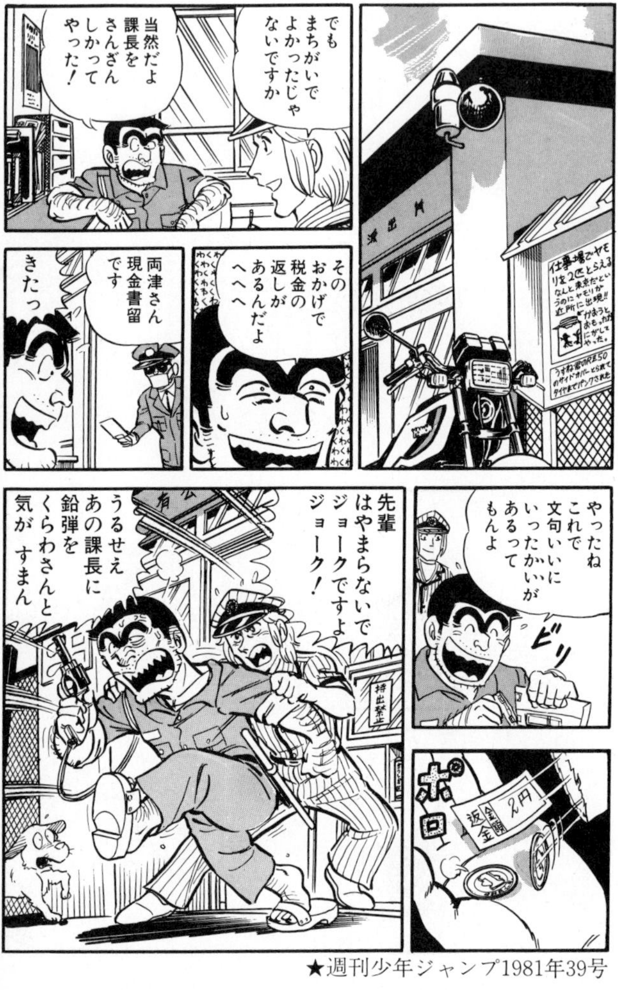


★週刊少年ジャンプ1981年39号

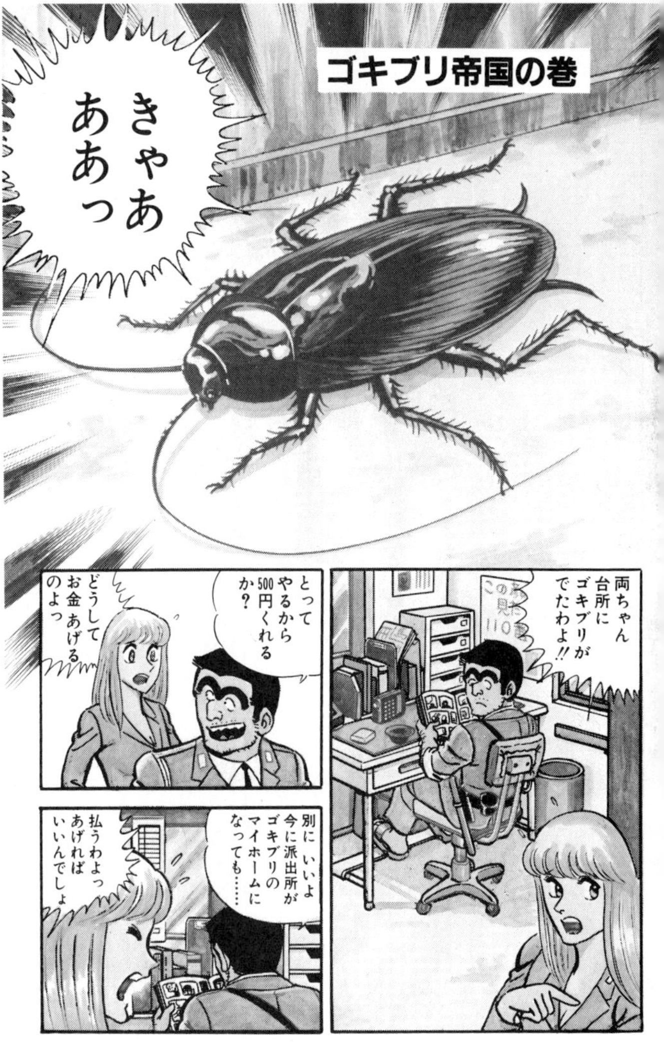
ゴキブリ帝国の巻
きゃああっ
両ちゃん台所にゴキブリがでたわよ!!
とってやるから500円くれるか？
どうしてお金あげるのよっ
別にいいよ今に派出所がゴキブリのマイホームになっても……
払うわよっあげればいいんでしょ

# ゴキブリ帝国の巻

わしはゴキブリをつかまえるのはプロだからな
そこのながしの下……
アッポロビール
いたいたかくれてもだめだぞ
火だねを大切に
拳銃を使う気!?
やつらは知能犯だからな念には念をいれてな
たわけ!その程度で突破できると思うか!
きゃあ
あっとんだ!
バサバサ

ばかめっ
わしの
反射神経を
なめるなよ
殺し
ちゃった
？
気絶してる
だけだ
まだ この奥
にいるぞ
うおっ
大編隊
だ！
きゃ～っ
両ちゃん
だいじょう
ぶ!?

ん?
うーむ……
ガサ
ガサ
ぎゃあーっ
大型
ゴキブリ
だあ!!
きさまら
血まよった
な!
近づくと
うつぞ!
チャ
ズギュ
ズギュ
チュン

平《ひら》たすぎて タマが はねかえっちまう！ くそっ
よし この上に にげよう
パッ
よいしょ よいしょ
ふう やっと まいたぞ
どっこいしょっと
ありゃ なんだ この数字は？
530
KC

どうも みたこと あるような 気が するな
600
530
KC
ラジオ…!?
ここは わしの机の 上か!?
集英社
ジーパン 喫茶 助手
SUKEBEI
hi-lite
どうなって るんだ わしが 小さくなっち まったのか!?

うーむ
信じがたいな……
気をおちつけんといかん…!
タバコがないな
えーとタバコは…
くそうこれをすうのか
よいしょっ!
なんの因果でこんな目に……
す〜っ
ぐおっほんごほん!とてもすえたもんじゃない
顔面がやけちまう

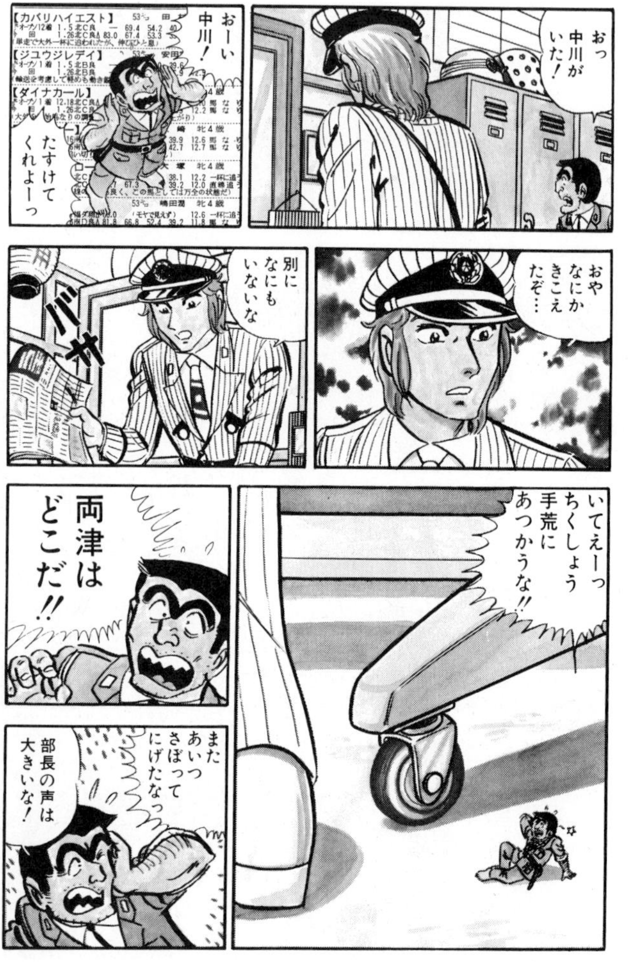
おっ
中川が
いた！
【カバリハイエスト】
【ジユウジレディ】
【ダイナカール】
おーい
中川！
たすけて
くれよーっ
おや
なにか
きこえ
たぞ…
別に
なにも
いないな
いてえーっ
ちくしょう
手荒に
あつかうな!!
両津は
どこだ!!
また
あいつ
さぼって
にげたなっ
部長の声は
大きいな！

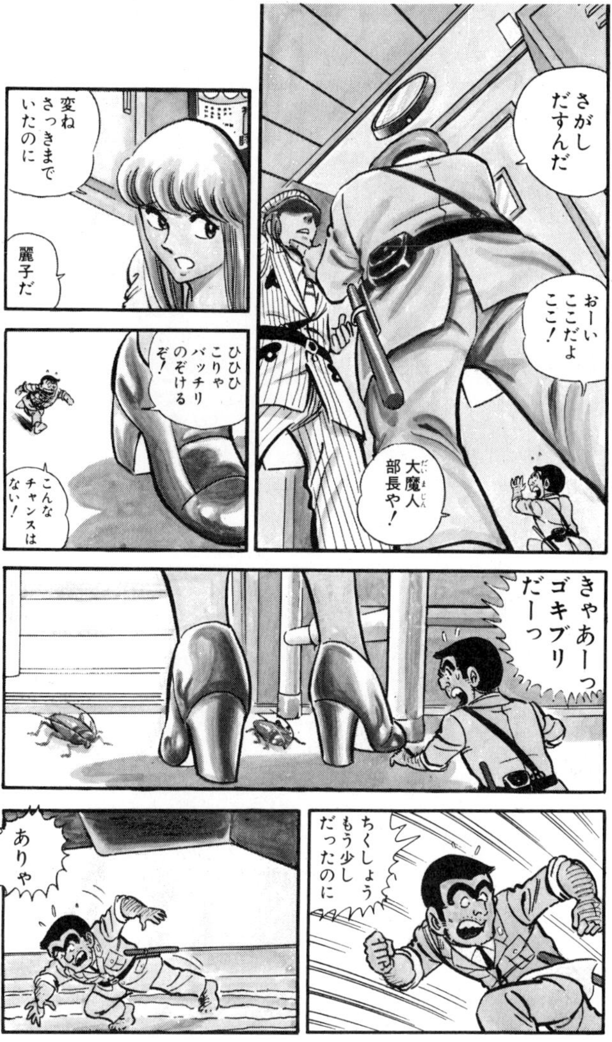
さがしだすんだ
おーい ここだよ ここ!
大魔人《だいまじん》部長や!
変ね さっきまでいたのに
麗子だ
ひひひ こりゃバッチリのぞけるぞ!
こんなチャンスはない!
きゃあーっ ゴキブリだーっ
ちくしょう もう少しだったのに
ありゃ

なんだこりゃ!
じょうだんじゃないよ こんなところにこんなもんおくな!
ネバー
ゴキブリになった気分だ!
ベタベタして 気持ち悪い!
パク
ガシャ

ちくしょう
あの犬め
あとで
おぼえてろ
ガシャ
あ!
やつら
おってきたぞ
やろう
たべられて
たまるか!
カサ
カササ
Coca-Cola
250ml
すばしこい
連中だ!
ガン
おっ
あれが
あれば!
うわっ
しまった

くそっ てめーっ この!
人間さまを!
あいたた ケツをかんだ!
ははざまあみろ!
今やっつけてやるぞ!
よい…
なんだこの!
だめだ! 力が足りない
犬正
ガサ
ガサ

うわっ
ドシ
あいた!
ドスッ
ちくしょう ふえてきたぞ とうとう 年貢のおさめ時か…
ん… これは?
ガサ
ガサ
この手があった!
ギュッ
ピ～
ゴーッ

3倍スケール
GOKIB
GOKIBURI
いいぞ
やった！
よいしょ！
パッ
ははは
ざまあみやがれ
XF-15
線路がはずれてやがる！
なんてこった
まだくる気か
ガサ
ガサ

なんでこんな目にあわなきゃいけないんだ！
ゴキブリのたたりか秋本《あきもと》のアイデア不足か…？
おい 恐竜プラモ！心あらば主人をたすけろ
ギャァァァァ
ピカ
ぎょっ

恐竜とゴキブリのたたかいなんておそろしい
うわっ
ば…ばか!わしだっ主人だ!
ぎゃあ——っ

気がついてよかった!
ずいぶんうなされてたわよ
商売とはいえ この世で一番 キタナイなゴキブリを描いた今回は 地獄のような日々でした
ゾ〜〜
さっきのゴキブリはどうした
圭《けい》ちゃんが殺虫剤でやっつけたわよ
こいつ主人をくいやがって
おい すぐゴキブリの墓をたてろ
えっ
どうかまよわずくたばってくださいアダブラカダブラ
この作品を書くにあたって実物ゴキブリを二匹取らえて顔つきまで調べました えらい!
どうもうちどころが…あまりさからわないほうがいいよ

★週刊少年ジャンプ1981年23号

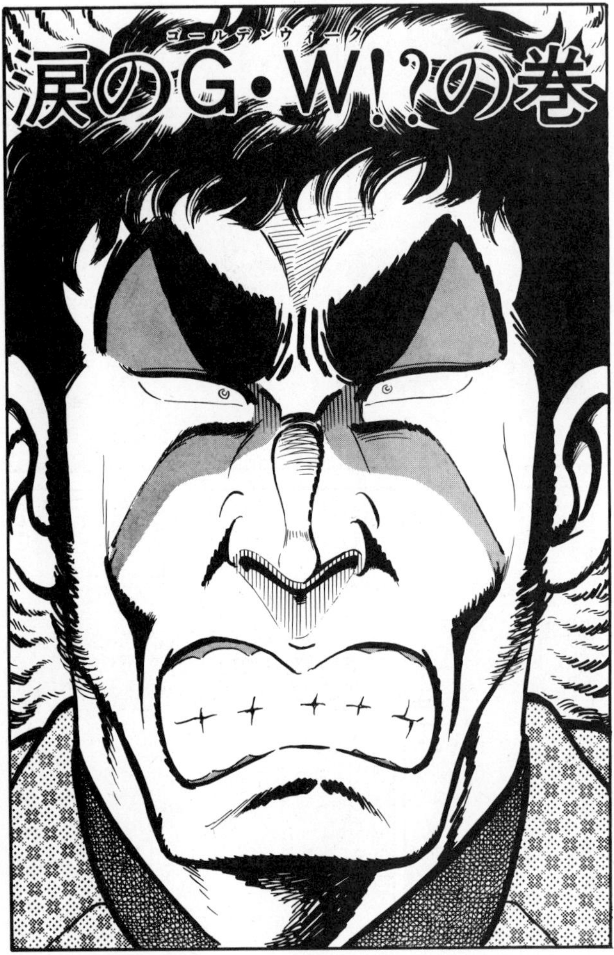
涙のG・W《ゴールデンウィーク》!?の巻

やったね！タミヤの1/35ジオラマ製作は最高だ
なるほど…ゴールデンウイークに町会で旅行へいくわけか…
ええ 長崎《ながさき》へ 2泊3日 たった4万円でいけるんです
だから希望者が多くてほとんどの店が休みになるんですよ 商店街がマヒしてしまいます
だれか家の人で残るのはいないのか
みんな家族でいくので無理ですね

町会長の私としてはせっかくの旅行なので全員いかせてやりたいのが人情で……
すると留守番がいればいいわけだ
よろしい私にまかせなさい
えっだれかいるんですか？
ゴールデンウイークなど関係ない男がひとりいる！
そいつに留守番をさせますから安心して旅行へいってきなさい
ふあっくしょん
またｄれかわしのウワサでもしてるのか…
盗まれたのはダイヤのネックレスと現金で一億それから……

中川 早くしろよ ガンダムが 始まる 時間だ
まだ 事情 聴取が すんで いません
じゃ 一部完 ということで 二部は あとで くると いうことに しよう
そんな かってな ことを！
私が 空巣《あきす》に はいられない 方法を お教え しましょう
はい ぜひとも！
窓やドア すべてを セメントで うめてしまう のですよ これには ほとんどの 空巣《あきす》が おそれて ひきさがり ます
その②は 家の周囲に 堀を つくって ワニを いれる これも なかなかの 手です
はあ……
その③は家中に 電流を流し 竹ヤリをもって 千人針を ハラにまき ……
先輩 一部完に しましょう
まったく 春は 空巣《あきす》が 多いな いそがしくて たまらん
旅行 シーズンで 留守に しますからね

えっ 留守番 するの!?
そうだ 駄菓子屋と 薬局だ! しっかり やるんだぞ!
なんで 私が そんなこと やらなきゃ なんないんですか!?
われわれは 地域住民と 密着した 活動を せねば いかんのだ!
駄菓子屋の 留守番が 密着した 活動ですか
おまえには ピッタリの 仕事だ
ちぇっ せっかくの 連休に 勤務かよ
いいじゃ ないすか どうせ いくところ ないんでしょ

うるせえな どっか いくかも しれない だろ!
どうせ 競馬場か パチンコ屋 ぐらいですよ
いったな! 歌舞伎座《かぶきざ》に いったら どうすんだ!? え!? わしが 日本橋《にほんばし》三越《みつこし》へ いったと したら…!!
ありえない 絶対ない! いてててっ
それじゃ おねがい します
気を つけて いって らっしゃい
アイス
ここと むかいの 薬局の 2店だ いいな
薬なんて わかりません よ! じゃかすか 売っちまって いいんすか
チリ紙や 歯ブラシ だけだぞ!

しろうとは薬を売ることができないからな…
え!? 売らないの……? 買いにきたら
口で客を説得しろ売るんじゃないぞ!
変な店番だな
駄菓子のほうも売っちゃいけないいんすか?
そっちはおまえの得意な店だちゃんと売ってあげろ!
河井
子どもをだまして多くとるんじゃないぞいいか!
だれがそんなセコいことしますか!
あとで 見にくるからなちゃんと 店番してろよ
いいですよこなくても!
おたのしみ袋
プラモ
うるさい上司だ! やになるよ
甘納豆くじ
変身セット③
少年忍者部隊
月蝕
すいか

まったくやってられないよ
かったるいな…
1まい 10円
奥でテレビでもみてよっと
ドリ
だれが商品をくえといった！
あっ 部長！かくれてるなんてひきょうだ！
ばかものっ警官としてはずかしいと思わんのか！
ちゃんと金を 払ってたべろ！
ちぇっこまかいなあ……
たえずおまえは監視されていることを忘れるな
わかりましたよ早くきえろ！
まったくモルモットじゃあるまいし
やることがインケンだよ
光線銃 700円
おたのしみ

このやつ
カッコいいな
こっちのが
いいよォ
しんちゃん
ビーン
ビーン
さっそく
こまかいのが
きやがった
引き金の
軽いほうが
使いやすい
ぞ!
ビーン
銀玉
はいってるよ
これ!
ビーン
ビヅッ
いてっ
てめえら
いてえだろ
バカッ!
うわっ
いけね 客を
おっぱらっ
ちまった!
部長に
みつかると
やばい!
きみたち
悪かったな!
割びいて
やるから
買ってくれよ
おたのしみ袋
本当?

じゃ どれに しようかな……
ぼくは これ……
そうか 10円まけて やるよ
ぼくは このパチンコ
えーと ぼくは…
すいません!
リポビタンX
あっ 今度は 薬局か!
おまえら ちゃんと金おいて いけよっ
うん
へい らっしゃい
うわっ びっくりした!
お巡りさんが この店やってるんですか?
いろいろと 事情があってね
じつは カゼを ひいたらしくて セキがとまらないんです
ふむ ふむ カゼね……

早く家に帰ってねたほうがいいな！今すぐ！
え!? だから薬を買いに…
薬などのまんほうがいい！ねるのが一番の薬だ！
そんな！ノドがいたいんですよ
それなら長ネギを切りガーゼにくるんで首にまくとすぐなおる
八百屋にいけばあるよ
ちょっとまってくださいよ
薬売ってくれてもいいでしょう薬屋でしょ
ここにあるのはぜーんぶ見本！
薬買いますからねっぼくは!!
そうか口でいってわからなきゃ…
パチ
こいつとじっくり話しあってもらおうか…
チャ
ヤル気になろう!
ピポピパンゴールド
ひゃあーっ たすけてくれーっ!!

売っちゃいけないのもつらいな………
説得がむずかしい
ありゃ
30円しかおいてないぞ!
あいつらひとり10円とまちがえやがったな!
銀玉鉄砲一こ100円もするんだぞくそ!
9割もまけるか! あのバカ!
それにしてもこれ……
昔わしが使ってたのとまったく同じとは恐怖だな…
ガキのころは2丁もってフロシキせおって月光《げっこう》仮面《かめん》のマネをしたな
今じゃ本物をもって正義のためたたかってるからな はっはは
20数年間モデルチェンジせんとは職人魂か…
あるいは手をぬいてるのか……
ビーン
ビーン
Super COLT

いかん
いかん
西岸良平《さいがんりょうへい》の世界にひたってる場合じゃない
ガチャ
こりゃ商品だからな!
おじさんもんじゃ!
なにっ
もんじゃ焼きやってよたべにきたんだよ
そんなこときいてないぞ
どこかに材料があるはずだがえーと
ガラッ
たぶんこれだと思うが…
まあ相手はガキだからいいや
こんなことまでするとは思わなかったよ
金もらわんとあわんな
トントントン
おじいさんまだ?
だれがおじいさんだこいつ!

ありゃなにかかたくなったぞ
カチンカチンになってしまった!?
なにーっ
石こうじゃないか!
石膏《せっこう》 ジオラマ用
なんでこんなところに! まぎらわしい!
この家のババアはなに考えてるんだ!
米とみそしかないな…
戦時中だな
おまえらメシでもたいてたべるか?
やだっもんじゃがいい!
材料買ってきてくれよ!
私たちはお客さんよ!
まったく口先だけは達者《たっしゃ》なガキどもだ!
TEL 6
お徳用 まむしドリンク ドラム缶サイズ
主夫の友 創刊

うーん まあ まあ だったね
ちょっと味つけが いまいちね
ごちそうさん!
おい
くそっ
え? なに…
たべた食器は自分で洗うんだ!
ちぇっ きびしいなあ
スパルタ駄菓子屋だからな
ザーー
あっ また薬局に客が!
あっ おじさん 銀玉鉄砲買いたいんだけど
金おいてけ 100円だぞ

いらっしゃいませ！あれ!?
リポピターンZ
いないぞ！
パピプペピンA
ソーダー村の村長さんがソーダーのんで死んだソーダー そうしきマンジュウでっかいソーダー ソーダー ソーダー
まさか奥にあがったんじゃ……
あっ！
ガチャ
きさまっ空巣《あきす》だな!!
し しまった警官だ！
宝石箱
わしにみつかったが100年目！動くとハチの巣だぞ！
チャ
ありゃ
ビーン
ビーン
銀玉にかわってる

警官ごっこはガキとしろ！どけっ!!
あっまてっ
そうかさっき銀玉いじってた時に本物をまぜたんだ！
ないっどこにもない！おかしいぞ！
ガチャ
ガチャ
まさかさっきのやつが買ってったんじゃないだろうな
とにかく犯人を追うのが先だ！
ねえっこれ100円じゃ安いね本物だよ
あのおじさん気前がいいのね

まて！
あっ さっきのおじさんだ
よし あいつを人質に…
うわっ
おい 近づくとこいつの命はないぞ！
あっ さっきのガキ！
命がないのはおまえのほうだ その銃は本物だ！
なにっ

でかした
ぼうず!!
38スペシャル弾は 迫力がないね やはりマグナムのほうが いいや
すえおそろしいガキだ
やっと自由の身になれたよ もう留守番なんてこりごりだ
月刊 競馬自身
さくらナベ
両津 明日 養豚場協会が 旅行へ いく そこで 留守番をだな ぜひ おまえに また……
もう いやだ! ブタは きらいだ! トンカツは すきだけど 生《なま》は いや!
わしは商人にゃむかん! 自由業が一番あってる
警官は自由業ですか?

★週刊少年ジャンプ1981年22号

勘《かん》吉《きち》

金《きん》次《じ》郎《ろう》

銀《ぎん》次《じ》

# 両津家の人びとの巻

——両津家の法事の一日——

# 両津家の人びとの巻

こんにちは！
兄はいますか？
えっ
兄って…？どちらの方ですか？
勘吉です 私は 弟の金次郎です
勘吉ってそんな人いたっけ？
さあ？
このようなマユ毛をしてます
あっ
先輩だよ 先輩のことだ！
両ちゃんに弟さんなんかいたの…？
両ちゃんお客さんよ
あとにしろ

今 いいところなんだぞ
ワーワー
弟さんがきてるわよ
うるせえなあとだ!
弟がきてるだと!
ええ 今 そこでまってるわよ
あのバカッ
いいからこっちへこい!
グイ
ど…どうして!?
やあ兄さん

なんで職場へくるんだよこいつっ
パカ
いて！
だって署に連絡してもナシのつぶてだし寮に電話してもいないいじゃないか？
警察官ってのはいそがしいんだよ！
で…なんだよ用事は!?
法事があるんだ明日の10時から…
だれの法事だ……
オヤジのほうだと思うけど……50回忌らしい
50回忌だとそんな古いのやるかよ
どうもそうらしい 兄さんは 長男だから 出席してくれよ
半世紀も前に死んだやつの法事なんかできるか！おまえたちで勝手にやれ
あっ
オヤジが体調悪くしてんだよ兄さんが中心にならないとダメなんだよ
パスだパス！

そんな昔のやつやらなくたってわかりゃしねえよパスしよう
だめだよ兄さん!
ぼくだって今日調停で裁判所へいく途中わざわざきたんですよ
だれもこいとはいってねえだろ!
兄さんが出席してくれないといいしんせきの手前はずかしいですよ
ちぇっ
じゃひきうけるから少し金貸してくれよ
え!?
おまえ弁護士だろもうかってるくせにケチするな
わかりましたよ
つくだ煮
よろず屋
よろず屋
つくだ煮
よろず屋
両津
へへへサンキューいい弟をもつと兄はしあわせだ
10時ですよおくれないでくださいよ

おい勘吉はまだこねえのか
愛
くるといってたんですけどね
しようがねえやつだな！しんせきがまってるってのに！
お父さん11時にお経がはじまりますよ
わかってらァだまってろ！
おう金次郎みんなつれて先に寺へいってろ
はい
どうぞこのお寺です！
お父さんもお寺にいくんですか？
あいつがこなきゃいくしかねえだろ！

夏になると この寺で
肝だめしを
よくしたぞ……
昔は このあたり
人家が少なくてな！
あっ
秋本家
兄さん！
先に
きてたん
ですか
おう
金次郎か……
家にいく途中
寺の前で
この若ボウズと
あってな…
ここでやる
というから
まってたんだ
もう！
父さんに
連絡して
こないと
相かわらず
苦労性
だな
おまえも…
勘ちゃん
じゃない
か…？
やっぱ
勘ちゃんじゃ
ないかね
わしだよ
ほら 花川戸《はなかわど》の
よねだよ
よね！
あ…ああ
よねさんね！
しばらく
でした！
全然
記憶に
ねえよ！

小さいころ よく三輪車で あそびに きたろ! おぼえとる だろ!
ええ その節は お世話さま でした
しら… ねえよ 全然…
やあ 勘ちゃん きたのか
また しらねえのが きた!
しってるだろ そんな おどろいた 顔して……
もちろん! うちの しんせきの 人でしょ!
とぼけて! 徳《とく》べえだよ はっははは
そう! とくべえ は・は・は は……
しるか この!
おい 若ボウズ はやく 始めろよ
は はい
これだから 法事は イヤ なんだよ
一方通行 だからな
それでは 両津家の 法事を 始めます

いつものお坊さんとちがうみたいだな
でかけてるんだとさ！新米が留守番だ
きっとスクーターで暴走族と走り回ってんじゃねえのか！不良坊主だからな
しーっしーっ
ご焼香をどうぞ
はい
兄さんからですよ
わかってるよ！足がいうこときかねえんだよ
だいじょうぶかな…
ピリ
ピリ
あたっ
ヨロ…
ズンシャ
ガラン
ぎゃあ
うわっ

いてててっ 早くどけよ 若ボウズ
パカ
こりゃ どうも お見苦しい ところを! はっはは
ねえ 本当に あの息子さんは 警察官なの?
たしか そう きいて いたんだ けどねえ
陳美齢 雨中康乃馨 仍在人海中 再見我愛 一切都可愛
両津家の墓
両津家
おい だれの法事か きいたか?
うん さっき 父さんに きいたんだ けど……
父さんの おやじさん…… つまり ぼくらの おじいさんの 兄さんのつれあいの いとこのつれあいの 弟のおじさんの 弟さんらしい んだ……
全然 わからん…

じゃ
みなさん
大黒屋《だいこくや》さんに
食事の用意が
してあります
ので……
バスにのって
ください
へへ
これが
楽しみで
きたんだ
からな
大黒家
ドゥロロ‥
大黒家
キイ~
大黒家

さあ
ここです
クラス会
以来だな
ここは…
へい
らっしゃい
用意
できてる
はい
お2階の
方へ
どうぞ!
ありが
とう
オッス
社長
相かわらず
プラモ狂
か?
はい
ただ今
シャーマン
つくってます

今度オレのパットンとたたかわせようぜ
そりゃあもうぜひ!
あいつも小学校《しょうがっこう》のプラモ同好会の後輩だからな
うひょやった!
さあどうぞこちらへ
酒ありたべ物ありいうことないねはっはは
兄さんそこは上座《かみざ》だよ
え!?

お坊さんの席だよ ぼくたちはむこう！
ちぇっ そんなこと きまってるのかよ
おい あまり のみくい すんじゃ ねえぞ
ド
は… はい
えー 本日は みなさま おいそがしい ところを きていただき ありがとう ございます
つつがなく 50回忌もおわり 故人も さぞ よろこんで いると 思います
キャ
キャ
死んだのが よろこんでる のは どうでも いいよ 簡単にしろ！
えー それでは あいさつは このへんで…
まったく 昔から あいさつの ヘタな やつだ…
おい オヤジは どうした？
体を こわして 家で ねてるよ
なにっ 体を こわした
少しは 兄さんも 親を心配 するんだな
ズズ…

オヤジをつれてこい 酒をのましたほうがいい!
ブッ
酒ののみすぎで肝臓を悪くしてるんだぞ!
だから酒をのますんだ! 量が 足らんから体をこわすんだよ
いいよオレがよんでくる!
まってくれ!
兄さんが いくとハデに なりそうだからぼくがいくよ
よしいけ!
よっ銀《ぎん》さんきたのかい
ちょいと顔だしだけね
よう オヤジ酒につられてきたか…?
バカおめえがよびやがったんだろ
どうしたんだ顔色が悪いぞ
あたりまえだっ! ねていたところだったんだぞ!

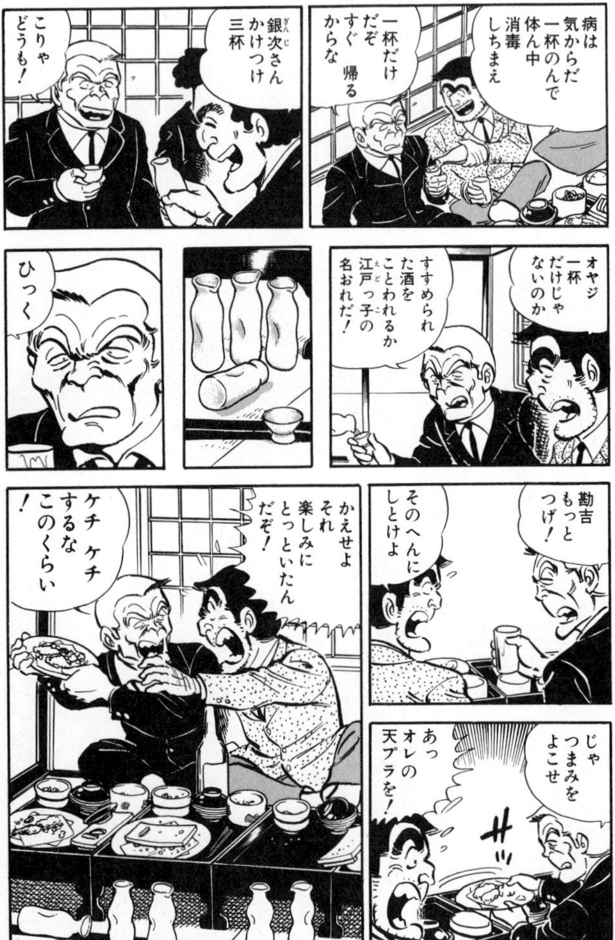
病は気からだ一杯のんで体ん中消毒しちまえ
一杯だけだぞ すぐ 帰るからな
銀次《ぎんじ》さんかけつけ三杯
こりゃどうも！
オヤジ一杯だけじゃないのか
すすめられた酒をことわれるか江戸《えど》っ子の名おれだ！
ひっく
勘吉もっとつげ！
そのへんにしとけよ
じゃつまみをよこせ
あっオレの天プラを！
かえせよそれ楽しみにとっといたんだぞ！
ケチ ケチするなこのくらい！

じゃ酒もらうからいいよ
あっ
ザッ
こらっ人の大事な酒を!
じゃ天プラかえせよ天プラ!
てめっ父親にさからう気か!
天プラかえせ!
まあ まあ兄さんたちこんな席で……
うるさいひっこんでろ
病人なら病人らしく酒のむな!
うるさい酒かえせっこのやろう!
ガシャ
うわっ
きゃあ—っ
うわ
2階がずい分やかましいな……

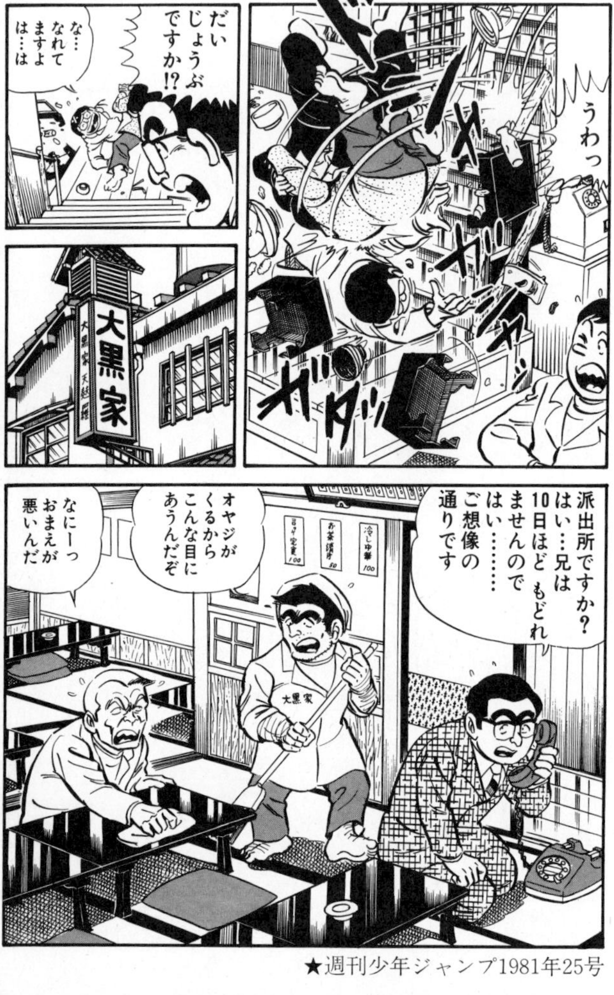
うわっ
だいじょうぶですか!?
な…なれてますよ は…は
大黒家
派出所ですか? はい…兄は10日ほど もどれませんので はい………ご想像の通りです
オヤジがくるからこんな目にあうんだぞ
なにーっ おまえが悪いんだ

★週刊少年ジャンプ1981年25号

# ズウ亀有の巻

止まれ
ここはパトロール地区とちがいますよ………
いいじゃないかどこをあるこうと……
おまえは物事にこだわりすぎるぞ
先輩がズボラすぎるんですよ
おや動物の鳴き声が?

小児科
デザイン科
土木科
亀有
7-63-9
青春病院
この先
この建物からきこえるぞ
こんなところにこんなのありましたか…?
ちょっと中にはいってみよう
先輩!
バカッ中でペットのライオンに主人がくわれてるかもしれんだろ

これも仕事のひとつだ
ガラッ
のそっ
ぎゃっライオンだ!
ガバ
ぎゃあ——っくわれる!
ペロ
ありゃ
ははは こら タマ お客さんをおどかしちゃいかんぞ
ニャ〜
びっくりした どうなっているんだ?

このライオンは人間に危害を加えませんおまけに草食じゃ
なんだと?
ペット用に闘争能力をとってある外見はライオンでも中身はウサギに近いほどじゃよ
ずいぶん動物がはなしがいになってるがいったいなにをしてるところだここは?
ニャ〜
動物新種改良研究とでもいうかな……
ブオ
ブオ
本来ペット用におとなしくなつきやすい動物をつくるわけじゃよ
まあほかにもいろいろな研究もしてるがな

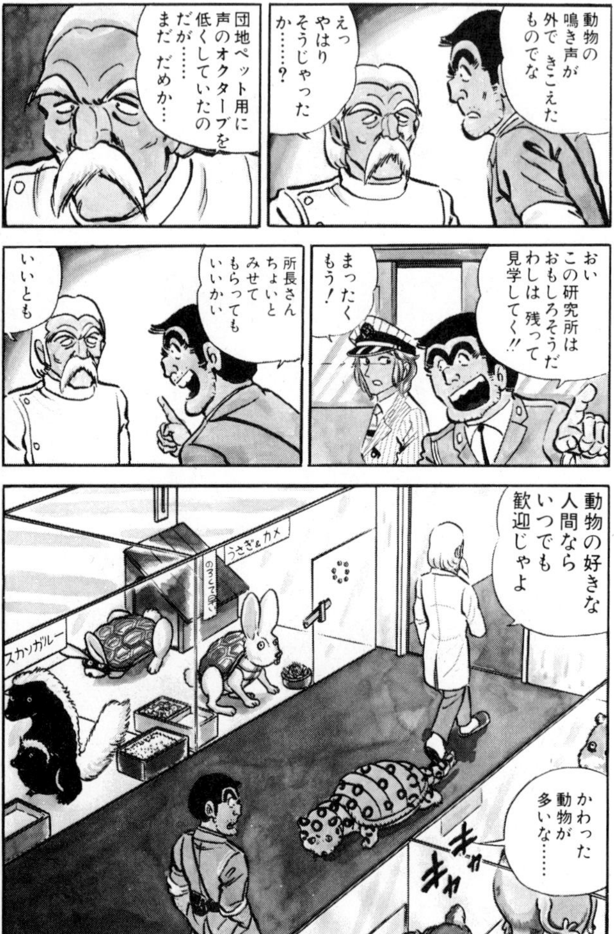
動物の鳴き声が外で きこえたものでな
えっ やはりそうじゃったか……?
団地ペット用に声のオクターブを低くしていたのだが……まだ だめか…
おい この研究所はおもしろそうだ わしは 残って見学してく!!
まったくもう!
所長さん ちょいとみせてもらってもいいかい
いいとも
動物の好きな人間ならいつでも歓迎じゃよ
うさぎ&カメ
スカンガルー
かわった動物が多いな……
キャキャ

な…なんだありゃ!?
スタン
スタン
しなやかゾウじゃ! 今までのゾウのイメージをやぶった新種じゃよ
ルン
クルルルン
体重を減らし60kg《キログラム》にしたそのためあのようにしなやかに動ける
ゾウのスキップなんて初めてみたよ

花子《はなこ》こっちへこい
パオ
ヒョイ
ほら この通り だきあげる ことも可能じゃ
まるで ゴムマリ みたいだな
元来 ゾウは 運動性のいい 動物じゃ…… あの体重が 災いして にぶくみえる だけじゃよ
そんな もんかね
小さいのも いる ここに…
みかん
ミニカバ
ありゃ… これ カバか?
みかん

ミニカバじゃ 自宅で かえるように したものじゃ
そちらが ミニ ペンギン
すると これは トカゲでなく ワニか？
そうじゃ ポロシャツ コンビで ペンギンと 同時開発
こんな 動物ばかり つくってる のか ここは !?
いや 今は 食料用に 力を いれとる
生物の進化
今 われわれが たべてるブタ あれは イノシシを 改良して できた物じゃ
ニワトリも とべないように 羽を 小さくされ 肉づきも よく 食用に改良された
わしのような 動物愛護の 人間には それらが かわいそうで ならん
そのわりに いろいろ 新種を つくってるな
みてくれ 食料問題の 答が これじゃ

なんだ
これは…
エビか!?
エビと
ほぼ同じ
じゃよ……
ちょうど
サンプルが
ある……
たべて
みるかね
エビ天か！
本当に いいの？
こりゃ
うまそう
だな
えんりょ
なく！
どうだ
味も いける
じゃろ
パク
パク
最高！
うまい
じつに！
じつは
それ エビと
かけあわせて
つくった
新種じゃよ
モグ
モグ
パク
ほう？
なんと…
ゴキブリ
じゃ…
ぶっ

エビのおいしさとゴキブリの繁殖力をもつゴキエビじゃ わずか一週間で数倍になりますから食料危機も心配ない
ばかっゴキブリなんかくわしやがってくそ!
ガッ
コンビーフでそだてたゴキブリじゃ清潔そのもの
赤いゴキブリなんてくえるか!
口なおしに別なのがあるよ
気持ちわり口に殺虫剤まかんと!
この肉はどうじゃ
今度はなんの肉だ
ムカデとゴカイをまぜたゴカデ肉か?
とんでもない!
ネズミとニワトリをまぜたネズミトリじゃこれも繁殖力がバツグン
たべられるかそんなもの!
ガッ
チャ

そんなぜいたくなこといってられんカロリーもあるし……栄養満点じゃよ
気味悪いもんばかりかけあわせやがって!
ありゃ馬だ
こいつはどうやらまともらしいな
気やすくさわるなよてめえ
ひゃっ
馬が口をきいた!
声だけをオウムに近くしたのじゃよいろんな動物にやったがこの馬が一番よくしゃべる
そうだオレが一番頭がいい!

馬がしゃべるのか…昔のテレビでそんなのやってたな?
うるせえなこのやろうぶっとばされんなよ!
ガラの悪い馬だこいつは!
ほっとけアホ!
こいつは鹿をあわせたほうがよかったよまったく
ヒュッ
こいつは人間に反抗するから 気をつけたほうがいい
べえ~
てめえーっぶっ殺してやる!
ドン
うわっ
タタタタ
今いったのはなんだ!?
ナマケモノの改良でハタラキモノですよ

タイヘンダ タイヘンダ
バサ

バサ

どうした カラストンボ

ワニオが ニゲタ ニゲタ
なにっ ワニオが!

なんだ ワニオってのは?
ペット用の オスのワニじゃ 人間に あこがれてる 気の弱い つっぱりワニじゃ
大変じゃ住民に みつかったら 凶暴だと 思って 殺されて しまう!
よし! すぐ つかまえに いこう!
ダッ
おい オレに乗れ オレのほうが 早いぞ!
そうか たのむぞ!

ちょっとストップ
タバコ買ってくるからな
なんだ人形か?
ぎゃああ生きたワニだ!

うわっ ワニが オレの バイクを…!
おい あそこ らしいぞ!
おい どっちへ にげた!
あ… あっちへ すっとんで……
ハッ
ハッ
ありがとよ! こっのやろう
いえ……?

うおっ オレの 脳ミソが くさっち まった!
ガッ ガッ
しっかり しろよ おい!
バイクにゃ かなわ ないよ
ドドド
4本じゃ めんどうだ 2本足で いくからな
なに!?
うわっ
ダッ
てめえーっ まて こいつ!
ダ
バオオオオ
いかんな 現実と夢が ゴチャゴチャ になっとるよ
ゆうべ のみすぎた からな……
キキィ
たばこ

やったーっ!
コーナーをせめすぎたんだ! バカめ!!
このやろう 店をこわしやがって
悪いなオッサン 不良のワニのしわざだよ
へっ…
大変だかあちゃん 馬がしゃべって ワニをつれて帰ったぞ
アニメばかりみてるから そんなのみるんだよ バカ!

亀有でGIジョー発見される
本当だよ しゃべる馬がいたんだぞ
まさか！ははは
部長は信じてくれるよね 私のいうこと！
その馬といっしょにバイクに乗ったワニをつかまえたんだろ 信じてるよ！
わあ さすが部長！
もう 一度 その研究所へいってみよう
えっ
おまえをチンパンジーとかけあわせて知能を高めたほうがいい！
いやだ！チンパンジーと兄弟なんてやだよ〜っ!!

★週刊少年ジャンプ1981年26号

怪盗集合の巻
ニコニコ寮
ニコニコ寮
打木銃砲店
指名手配
すてネコ

東京《とうきょう》害虫《がいちゅう》駆除《くじょ》
薬品会社
きいたこと
ないねえ
MEISHI
先月 新設した
ばかりでして
ただ今
無料期間中
です
ゴキブリ
白アリなど
今の時期に
退治して
おくのが 一番
ただで
やってもらえる
ならやって
もらった方が
いいね
それじゃ
今すぐ
始めましょう
薬が ひくまで
4時間かかり
ますから
その間
外へでてて
ください！
おしらせ
します
今から
害虫駆除を
おこないます
夕方
5時までは
寮に
はいれません
ただちに
外出して
ください
なんで
突然
始めるんだ

おばさん前おきなしじゃないか
タダだからねさあ早くでて!
映画でもみておいでよ若いもんが寮でブラブラしてちゃ バチあたるよ
ちぇっとんだ出費だ
両さんまだ 寝てて起きないんだけど……
きのうの屋根の修理でつかれてるんだろ……
あの人はゴキブリより生命力があるからだいじょうぶだ寝かしといていいよ
薬でいぶされても平気なんすか?
それじゃたのむよあたしの部屋もね
はい はいおまかせください
わが社の薬は 強力ですから
ジュー!!

すごい あっと いう間に ひろがった
これで 今年は ゴキブリ退治から 解放されるよ
ニコニコ寮
先輩が ひとり 部屋に 残ってるって きいたけど……
ゾロゾロ
まさか! それより ボーリングでも いこうぜ!
201
両津
部屋長

う…
う〜〜む
なにか
けむいな
………
魚でも
焼いてるのか
こんな
朝っぱら
から……
のそ〜〜
まあ
いいや
もう 少し
ねよう
グオオオ〜…
さて
全員
いなくなった
ところで
仕事
始めるか

本当はこっちが本職だ
堂どうと盗めるのはこたえられんな
安全かつ確実！頭は使いよう
ううむどうも寝苦しいな……
どうもさっきから気になる
非常にねむり…にくい…
わかったぞ！
ハラが減ってるからねむれんのだな………
ガバッ

食堂へ いって たべ物を さがそう
ついでに 洗たくもしよう もう着る物が ないからな
うおっ すごい 霧だ
バタッ
おかしいな ドアが みんな あいてる
だれも いないの か…？
現金が 少ないな なんという 寮だ
うおっ 人間だ！
ん!?
この中を 平気で 歩いてるとは 信じられん
おや その荷物と その スタイルは ………

おっと
ゴトッ
あっ
大事な商売道具をおとしちゃいかんな
このおちつき…このすごみのある顔……
よほど名のあるドロボウにちがいない
おまえそんなかっこうしてなにしてんだ
まだこの仕事にはいって浅いんですよ
そうかかわった新入りがはいったって…おまえのことか？
おたくは相当長いんでしょう？
まあな20年近くになる
やはり………
それよりメシがくいたい食堂へいこうぜ
えっ場所しってるんですか？

あたり前だ わしの 家のような もんだ
家の中は いつも セイケツに
お知らせ
さすが プロの中の プロ！
食堂
ここも だれも いないな 勝手に たべち まおう
あの… 薬まいた あとなので たべない 方が……
なんの 薬だ？
ゴキブリ 殺すやつ ですよ ほら 煙で虫を おっぱらう やつ……
アブ
そんなの わしは 気にせんよ うむ こりゃ うまい
モグ
モグ
あなたのような 大ドロボウと なると 度胸が すわって ますな
なに わしが 大ドロボウ だと？

ごまかしても
だめですよ
もったいぶって!
ドイッ
あいた
たたた
なんだ
あいつは!?
PTA
金次《きんじ》じゃ
ないか!?
どうしたんだ
こんな
ところで…
どうも
こうも
ないよ!
オレが
天井に
かくれていたら
いきなり
煙ぜめだ
そうか
悪かった
な………
おや
その男は
だれだ
こらっ
そんな口
きくな
この方を
どなたと
こころえる!

ドロボウ稼業《かぎょう》20年! われわれの鑑《かがみ》だ 顔みても 十分 わかるだろう
こいつら 警察の寮に 空巣《あきす》に はいり やがったな
なるほど そう いわれて みれば…
ぷわっ なんて こった! この煙は…
ここなら まだ 少ないぞ
おっ 太田黒《おおたぐろ》の 兄弟も いたのか!
いたのかじゃ ないぜ せっかく 仕事してたのに びっくり したぜ
まるで 同期会でも やってる ようだな
ゴキブリの ようにゾロゾロ でてきやがる
よくも まあ 警察の寮とも しらずに 4人も…
まてよ 4人も いっぺんに つかまえると 金一封が いっぱい……
そうだ! こいつらは 鴨《かも》が ネギしょって きたような もんだな やった!
KAMONEGI KAMONEGI KAMONEGI KAMONEGI

ネギがどうかしましたか？
いや別に……
おいそっちの人はしりあいか……？
おまえもしらんのかこの人は……
おっとそこから先はストップ
おまえら10年前の4億円事件しってるだろ！
ああもちろん
あれはなにをかくそうわしの仕事だ
えっ本当ですか！
みよこの光輝く拳銃！
おっ
チカッ
わしがハジキの鉄《てつ》とよばれる男だしらなかったか!?

4億円事件 ハジキの鉄… こうならべれば なるほどと さっしがつくと 思うがな…
どのへんが 結びつくか よく わからんが とにかく すごい!
みろ! わしの目に 狂いは ない やはり 大物だ
4億円だぞ おまえのように 亀青銀行《かめあおぎんこう》の 500万円とは ケタが ちがうよ
なに!
まったくだ おそれいり ましたよ
すると おまえが あの犯人…
やった! 金一封 どころか 昇進かも…
巡査部長
そうか きみだったのか いやあ あいたかった よ!
は?
こうして 仲間と 会えたのも なにかの縁だ 酒でものもう
そりゃ いいね

それにしても昼のアパートはちょろいもんだな
まったく練馬《ねりま》はオレたちの庭みたいなものだよ
あんたら練馬《ねりま》のドロボウ
まあね
怪盗105号といえばサツの間じゃ有名だからな……
しかしふたりのコンビとは気が つくまい
また またヒット!
昇進確実! いっきに警部補!
警部補
他にねらってるところはあるのか?
今はここの亀有《かめあり》に目を つけてね
ふたりの本名および本籍と現住所…
おい ちょっと
まるで警察のとりしらべみたいだな
いや! 別にそんなんじゃないよ

それじゃあっしはこれで…
おいちょっといっちゃいかん!
同じところに5人いてもしようがねえほかへ仕事にいくんだよ
だめだ昇進が……いやとにかくここにいてくれ
わしが警察のとっておきの秘密を話してやるだから…なっ
えっなにか情報があるのか!?
そいつはぜひききたい
だからみんな帰るなよ
なるほどそういうパトロール構成になってるのか参考になるなあ
さすがアニキだまるで警官みたいにくわしいな
まあなわしも調べるのに苦労したよ
ちょっとまってくれ仲間に連絡してくる
仲間だと
この場で情報交換会をやろうスリの名人置き引きの魔術師など16人この近くにいるんだ

スリなど16名……
警部
すぐ よべっ もっと いろんなこと 話してやる!
よろしく たのむぜ
つまり 現代国家と 政治警察の 活動の法的根拠 '80年代治安対策 の本質的方針 にあるのは パパパジャマで ある……
なるほど 勉強に なるなあ メモして おこう
食堂の中はセイケツに! ー東のおばさんー
はい 質問!
先生 そこのところ もう少し よく 説明してください
おい こんなに 堂どうと やって いいのかよ
だいじょうぶ あと 2時間は だれも ここに はいってこない
少しょう お休みして ちょっと トイレへ…
S.W (6連発)

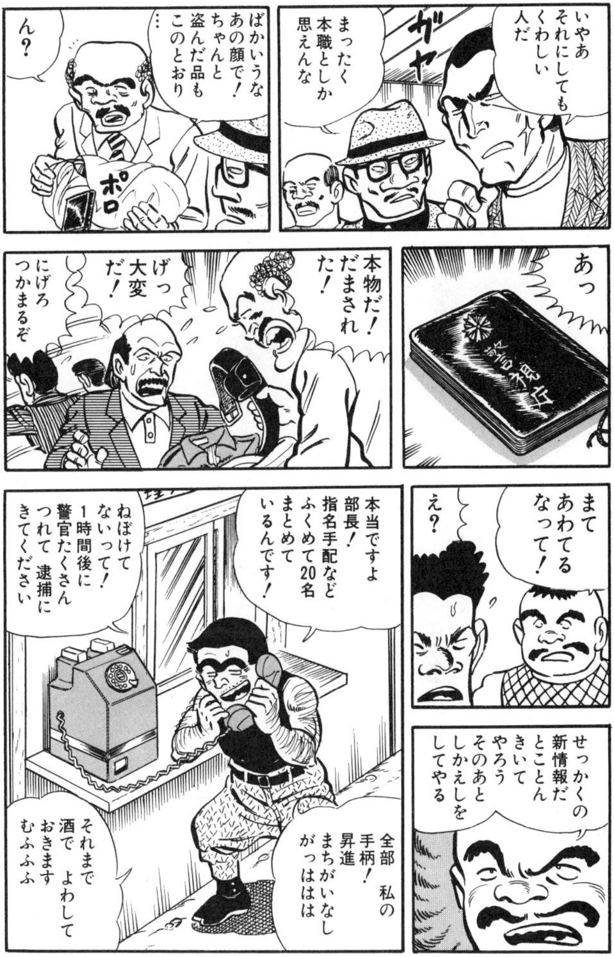

いやあ それにしても くわしい人だ
ガヤ
まったく 本職としか 思えんな
ばかいうな あの顔で！ ちゃんと 盗んだ品も このとおり …
ポロ
ん？
あっ
本物だ！ だまされ た！
げっ 大変 だ！
にげろ つかまるぞ
まて あわてる なって！
え？
せっかくの 新情報だ とことん きいて やろう そのあと しかえしを してやる
本当ですよ 部長！ 指名手配など ふくめて20名 まとめて いるんです！
ねぼけて ないって！ 1時間後に 警官たくさん つれて 逮捕に きてください
全部 私の 手柄！ 昇進 まちがいなし がっはははは
それまで 酒で よわして おきます むふふふ

おや長かったですね先生
そ…そうだった?
ではつづきを…
まあ酒でものんでください
そうリラックスして話してください
さあどんどん
あっこりゃどうも
もっとグーっとグ〜っと
こりゃすきっぱらにきくな!はははは
いいか裏と表同時にふみこむぬかるなよ
はいっ
それっわしにつづけ!
うおっ

こっちには だれも いませーん
こっちも いないぞ
上も いません
う〜む どういう ことだ
食堂で 両津さんが ねてます
なん だと!
グツオオー〜〜
アホポリス バカ
うぬ〜〜っ なんて ことだ!
銃撃戦情報 6月21日現在、今だ所ジョージは恐れをなして来ず! 常時臨戦体制の秋本プロは3日の仕事が2日であがってしまうという、異常な状態がつづけている また梅雨でガンの火薬がよくしけり、勝利にかげりが…
所よ、はよ来い!
部長 昇進の方は やはり ダメですかね
昇進より 職安へいった 方が いいぞ なにしろ 情報を ペラペラ しゃべっちまった 男だからな


★週刊少年ジャンプ1981年32号

# 惑惑中年!?の巻

ばかもん！
まったくおまえというやつはかけごとばかりやりおって！
おまえは人の金も自分の金もゴチャゴチャだ！
額《ひたい》に汗してはたらく金のとうとさがわからないのか！
どうしたのいったい？
旅行資金を全部 競馬に使いこんだんだって！
えーっ全部！
先輩に金をあずけるのがすでにまちがいの元だよ
おまえは額《ひたい》に汗してはたらく金の…
それさっきいいました……

金というのは…ゴホン
ゴホン………
おい中川
水
水!
ゴホ
ゴホ
部長 だいじょうぶですか
水ですよ
おお
すまん…
あまり興奮すると
体に毒ですよ
おこらないのが一番!
ゴクゴク
おまえがおこらす
原因だろうが!
パリッ
大体かけごとをやる人間はだらしのない無気力な性質で…
部長
まったく
よく 次から次へとことばが でるよ
まるで人間重機関銃だ
本署から電話です
よし
わかった
元は両ちゃんなのよ

まったく
勝負は
男のロマン
じゃないか
これが
部長にゃ
どうして
わかんないのかね
締切
戦前生まれにゃ
カタブツが
多いから
無理もない…
一生
この楽しみを
理解できんだろ
ガヤ
ガヤ

第四レース あと20分で 発走 いたします
もうすぐ 始まる パドックへ いってみるか
あっ 部長!?
う〜む これは 夢か 幻か…
部長が こんなところに いるとは…
ドン
おっと
ぶつかって さっさと いくとは 無礼な
かけごとを やる人間は あれだから こまる!
兄さんも 兄さんだよ
警官のわしに かわりに 馬券を 買いに こさせるとは

いくら千葉《ちば》で近いといっても…
こんなところみられたら誤解されるぞ
ちょっとたずねるが馬券はどこで売ってるんだ
なにそんなことしらねえのか
あそこだよ人がいっぱいいるだろ
そうか…
すまんがここにかいてある馬券を売ってくれ
えっなんですかカレーライスですか!
馬券だっ早くしてくれ!!
はいはい馬券の大モリですね
まったくはずかしいしりあいにあったら大事だよ!
なるほどたのまれて買いにきたのか
こりゃ前代未聞《ぜんだいみもん》だな…

ワ
ア
ア
ア
パッ
ドドドド
4 レース
確
3
12
6
5
芝 ダート
うーむ
なにが どう
なったのか
さっぱり
わからん
ちょっと
この券
あたってるの
かね？
どれ
みせて
みな
2枚
あたりだよ
おっさん
特券だから
七万八千円だ
やったな！
げっ
七万八千円
う〜む
信じられん
わずか
2分で
八万円か…
八万と
いったら
わしの給料の
5分の1だ

次は3―6がかたいな
むむ3―6でまちがいない
なるほど3と6を買えばあたるのか
簡単みたいだな
うっ
ジャ〜〜ン
う〜む運悪く馬券売場の前へきてしまった
それも3―6の…
七万あればいい松の盆栽が買える
ちょっと冒険してみるか
ふら〜
に二百円券…一枚
はい
ズキッ
ぶちょお〜〜〜っ

げっ
両津
!!
そ〜〜〜ですよ〜〜〜っ
な…なんでおまえこんなところに!
ほう…妙な発言ですな
私の競馬マニアぶりはご承知のとおり競馬場は私の庭です
それより部長ほどのまじめ人間がなぜ こんなところに?
ドギッ
まァさか馬券を買いにきたんじゃ
いやけっしてそんな!
馬勝
食食
洋和
華中
食券をお求め下さい
アイスコーヒーあります
両津くんおなかすいたろ!ちょっとたべにいこう
そうですか

いや部長うまいですね最高!
もう一杯たべていいですか
もちろんえんりょなくたべてくれ
いやあ 先日部長にしかられたこともっともですねえかけごとはいけません
競馬なんてやるやつは人間のクズです!そうですよね部長!
そ…そうだな
まして警察官がやるなんてねえ!
おや部長 顔色が悪いですよ
そうか………
部長なんですそのポケットにはいってる券は?
う…こ…これは
すまんわしは馬券を買ってしまった
ガタッ
げ…げっなんだって!!

さんざんしかりまくった部長が競馬を! 信じられない まじめの生きた標本の部長がそんな!
まったく魔が さしたとしか思えん
そ…それでいくらつかったんです
3―6の二百円券を買ってしまった
げげっ 二百円も!!
部長はりっぱな不良中年ですよ
ギャンブル狂だ!
このことが課長の耳にはいったら大事でしょうな 新聞にのり週刊誌でたたかれウイークエンダーでこきおろされ…
ああ…おそろしい 気の毒で課長にいうのがしのびない
両津 たのむ! だまっていてくれんか
安心してください 私は部長の味方です 口は かたいですからね
たのむぞ
ビール ¥50
ただ……ときどき ふと わすれてしまうことがあるんですよ
そのときはなにかごちそうしてもらえれば思い出します
ずいぶん都合のいい頭だな…

派出所
特許出願希望!!
タウニイファイヤー
今年の夏に向けて!! これだ!!
今ナウイ花火とバイクをくみ合わせた新しいスポーツがたんじょうした!!
ウェストコーストで大ブーム!!
うおっす!
SUZUKI KATANA
なんですかそれ
新製品のプラモ!
またそんなのつくってると部長におこられますよ
ところがぎっちょんだいじょうぶ
なぜか部長はおこれないことになってるの
えっ
部長おはようございます
おはよう

あっ なんだ 両津 仕事中に プラモ なんか つくるとは……
部長に ひとつ お話 したいこと が………
ガタッ
なんだ
こないだ 買ってきた 馬が うまそうに ウマ煮を たべてたん です
まっ 仕事の合間 つくるのも いいだろ たまにはな
そうです どうも どうも
それから 部長 プラモ買って 金がないので 一万円ほど 借りられ ませんか？
あまり ムダづかい するんじゃ ないぞ
やさしい 部長って ぼく すきだなあ
本当だ なにが あったんです いったい？
べつに…

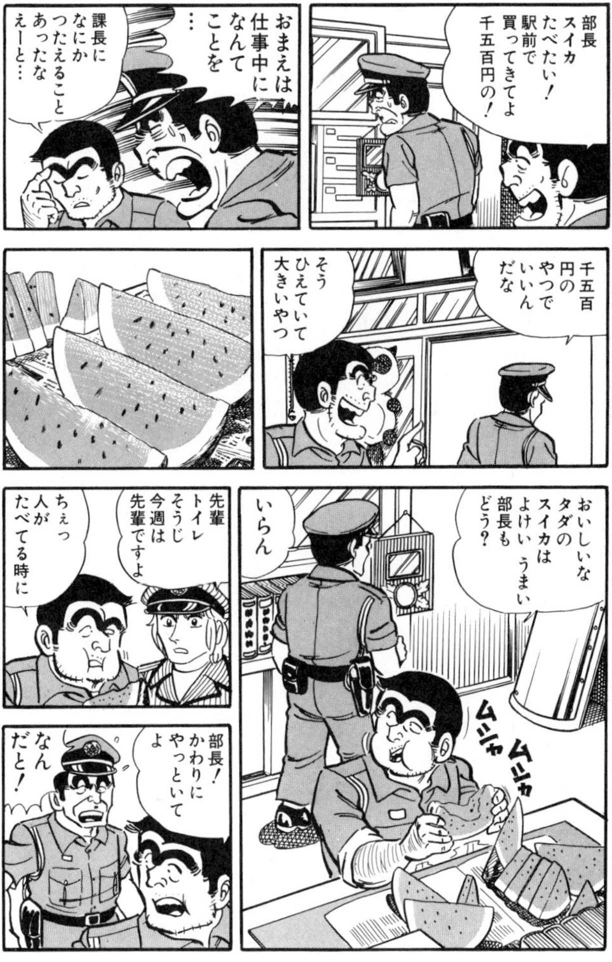
部長 スイカ たべたい! 駅前で 買ってきてよ 千五百円の!
おまえは 仕事中に なんて ことを …
課長に なにか つたえること あったな えーと…
千五百円のやつで いいんだな
そう ひえていて 大きいやつ
おいしいな タダの スイカは よけい うまい 部長も どう?
いらん
ムシャ ムシャ
先輩 トイレ そうじ 今週は 先輩ですよ
ちぇっ 人が たべてる時に
部長! かわりに やっといて よ
なんだと!

わしにトイレをそうじさせるだと!
パカ
パカ
パカパカ
やりゃいいんだろ
それから洗たくもねコインランドリーで……
ツメも のびちゃったツメ切って部長
そういうろこつにやな顔されると口が すべりやすく…
わかりましたよ
いやあすいませんね無理にたのんだみたいで
今度足ね
ハイ……
きれいになったところでパチンコにいってきますはいご返事は?
いってらっしゃい
いったいどうしたんです部長!
甘やかすにも ほどがあるわよ

あいつにこれ以上つくすくらいなら話したほうが楽だ
じつはきのうのことだが…
なんだそんなことでなやんでいたんですか
そんなことって…私は馬券をだな…
ぼくだってつきあいで買ったことありますよたいしたことありませんよ
部長は気まじめすぎるのよ
たかがお馬ゲームじゃない
そうか…たかがお馬ゲームか………
そのとおりだ
ハアーイしょくん人生は楽しいね
あーっだめだよちゃんと洗たくしとかなきゃ
お馬の親子になるよ

部長 耳そうじ して！ はい！
パコッ
部長！ ご主人に なんてことを！ あのこと ばらしますよ！
馬券を 買ったことか いいたきゃ いえ
はりゃ
馬券のことで 部長を 脅迫するなんて まったく ひきょうね
部長から すべて ききましたよ
うっ… 完全に ひらきなおられた…………
おまえ わしに スイカを 買いに やらせたな
いや ほんの シャレ で……
わしに トイレの そうじや 洗たくまで やれと いったっけな
そ…そう でしたっけ？ 記憶に ないなあ

★週刊少年ジャンプ1981年36号

ガンコ電車の巻
三ノ輪橋
7025
カンカン
カンカン
ガタタン
ガタッ
暑いな
まったく

都電に
冷房車は
ないのかよ
まったく!
ガタン
ムシやきに
なっちまうよ
お客さま
窓から
手や顔を
ださないで
ください
ちぇっ
うるせえな
この方が
風が
あたって
気持ちいい
ガタタン
山田質店
ぐおおっ
もろ
あたった
次は終点
三《み》ノ《の》輪《わ》橋《ばし》
です
こらっ
もっと
乗客を
大切にしろ

# ガンコ電車の巻

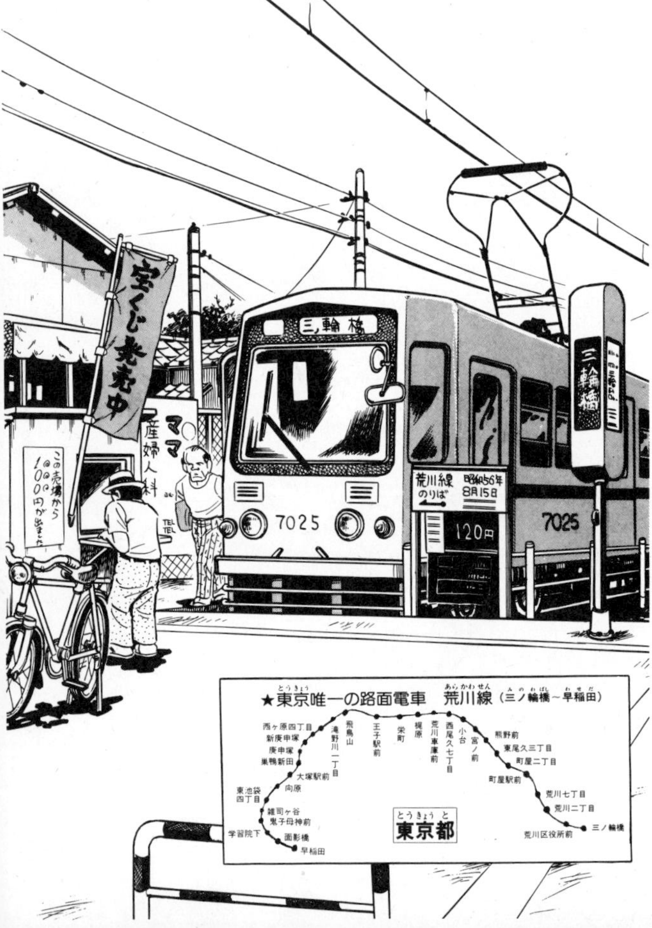
宝くじ発売中
この売場から
産婦人科
ママ
三ノ輪橋
7025
荒川線
のりば
昭和56年
8月15日
120円
★東京《とうきょう》唯一の路面電車　荒川線《あらかわせん》（三ノ輪橋《みのわばし》～早稲田《わせだ》）
三ノ輪橋
荒川区役所前
荒川二丁目
荒川七丁目
町屋駅前
町屋二丁目
東尾久三丁目
熊野前
宮ノ前
小台
西尾久七丁目
荒川車庫前
梶原
栄町
王子駅前
飛鳥山
滝野川一丁目
西ヶ原四丁目
新庚申塚
庚申塚
巣鴨新田
大塚駅前
向原
東池袋四丁目
雑司ヶ谷
鬼子母神前
学習院下
面影橋
早稲田
東京都《とうきょうと》

都電ってのは 町中を ぬって 走るからな
まだ 頭が ズキズキ するよ
岡田商店
50円
30円
オクラ
そうか! 祝い物 買っていかんと いかんな…

部長に金もらってきたんだからな
たばこ
おい 両津 轟《とどろき》のとこへ祝い物とどけにいってこい
え!?
あいつ なにかめでたいことでも…? 家がやけて保険金がはいったとか?
ばか 子どもが生まれたんだ 出産祝いだ
また? 去年女の子の三つ子がうまれたばかりなのに……
今度も三つ子らしい
まってくださいよ その前に三つ子の男の子もいるでしょ
そして今年もまた…
合計すると9人か う〜む このペースでいくと 来年は一ダースに…
ばかなこといっとらんで この金でオモチャでも買ってもっていけ
明日 非番でどうせブラブラしてんだろ たのむぞ
ちぇっ あたってるだけにつらい……

そして
その金で
メロンを
買っていけ
えっ
なんで？
カゼひいて
2〜3日休んで
いるらしい
それも同時に
轟に
とどけるんだ
見舞いと
祝いを
もっていくのか
複雑だな
ちゃんと
もっていくんだぞ！
あとで領収書
もってこい
いいなっ
うたぐり
深いなあ
！
…と
いわれて
きたんだが
メロンは
高い
パイナップルだよ
マスクメロン五千円
MERON DAYO
オヤジさん
そこに
おいてある
メロンは
いくらだ
……
こりゃ
だめだよ
くさってる
やつだから
オクラ
モヤシ
じゃ
10円で
売ってくれよ
ああ
別に
いいけど
なにする気だ
病人の
見舞いに
もっていく
まさか
こんなの
たべたら
体こわすぞ

すでに病気だからいいんだよ
つつんでくれよ早く
そりゃそうだがしらんよワシは……
メロンなんて元もとくさってるようなもんだわかりゃしない
えらい見舞い客だよ
領収証
56年8月15日
上様
¥10000
但 上記正に領収いたしました
次は赤ん坊のみやげのオモチャだっけな
よいこの玩具
ナイスなおもちゃ
氷
GIジョー有り
電人アロー入荷
カラン
コロン
これで9990円のもうけだ頭いいなへへへ
オモチャに関してはプロ級だセンスが光るぜ!
いらっしゃい

地図でみるとこのアパートだな
昼間でも中はうす暗い
まるで鐘乳洞だな
げっ
おじさんどいてーっ!!
ぐおっ
いててっなんで自転車が!

あぶないよ
おじさん
よく前を
みてよ
外で走れ! 外で!
あっ
おまえ
轟んちの
三つ子
そう
だよ……
部屋は
どこだ
この上
サリーちゃん
自転車
ガラッ
よう
轟
いるか!
なんだ
両さんじゃ
ないか
赤ん坊の
祝いもって
きたよ

最高級メロンをもってきてやったぞよろこべ
わざわざすまんな
おもちゃ箱
そしてこれがガキ…いや赤ん坊にオモチャ
気をつかわせて悪いな
ガラ
どうもいらっしゃい!
ひやっ
女房だよ前もあったろ
そ…そうだな
いやあいつみても新鮮な衝撃で…
まあ
そんなおせじいって!やだ〜っこの人
おい両さんがもってきたメロンきってあげろよ
いや!それはいけない!

どうして
メロン
すきだろ
今　あまり
たべたく
ない……
帰ったら
たべてくれ
えんりょ
するな！
たのむぞ
あっ
まった
いいから
えんりょ
すること
ないよ
この人！
ヒュ
おまえの
カミさん
ずいぶん
パワーが
あるな
いててて
元
女子プロ
めざしてた
からな
さあ
どうぞ
めしあがって
ください
はあ
そう　いわれ
ましても…
ぞくーっ
美人を
前にした
からって
えんりょ
しなくても
いいのよ
おまえんち
クーラー
なしで
いられる
理由が
わかるよ
どう
して？

ガラ
ガラ
うわっ 地震だ
ちがうよ 都電が 通ってるんだよ
なに？
すぐ 前が 線路に なってるんだ
ガタタン
ゴトン
ぼくは 都電が すきだろ だから ここに きめたんだ
しかし うるさくて たまらんな
両津さん メロン どうぞ メロン
まだ いってるよ しつこいな
それじゃ 外を ながめながら たべますよ
どうぞ

あっ
どうした？
おちちゃった！つい景色にみとれてたら
それは残念……
たべたかったのに！本当におしい！
じゃあもう 半分あるからもってくるわね
う〜むどうも運命づけられてるらしい
赤ちゃん今 むこうでねてますみますか？
いやそんなみたいという気は…その別に あの‥
どうおいしい？
じつに微妙な味ですな酸味がきいてて…

女の子の三つ子でしょ ひょっとして 奥さんに似てるんじゃない？
そりゃあ もう ほほほ
だいたい 想像つきました あとでみますよ
そう
とうちゃん どこか あそびに つれて いってよ
荒川遊園地つれていってよ
カゼで それどころじゃない
外で あそんでろと いったろ
いいじゃないか つれていって やれよ
両さん まで…
三日も署を休みゃ十分！ 少しゃ外へ でて日を あびたほうが 体に いいぞ
なあ おまえら
そうだ そうだ
ワァー
両さんには かなわないよ

子どものころ都電の運転手にあこがれてね
一日中電車をみてたもんですよ
ほう
30
太田質店
そういやわしも自転車で都電をおいかけたこともあったな
なんかガキのじぶんにのってたのとだいぶ形もちがってみえるな
東京じゃ7000型車両が主だからな
7024
正面一枚ガラス おまけに ワンマン化 昔の都電の面影はパンタグラフのみだよ
そういやモダンになったな
ワンマン
早稲田
7024

音は昔のままだぞ
この電車がたった14年前に銀座《ぎんざ》や霞《かすみ》ケ《が》関《せき》をほこらしく走ってたなんて夢物語だよ
ガタン
今もこうしてちゃんとのこってるじゃないか…
たまたまこの路線の廃止が 後まわしになって生き残っただけのことハナから残すつもりでいたわけじゃない
高度経済成長だかしらんが車の犠牲になりじゃま者あつかいされていく姿がふびんで……うう
まるで自分のようだ
おいおい子どもの前でなくな
私は 3000型車両がすきなんです今も日本のどこかで解体を のがれ走ってると思います

もう一度出あったら買おうと思ってるんですよ
いつか金をためて……
わしにそんな金あったらアメ車買うぞまよわず
根本的に考え方がちがうようですな
みんな今日あそんでくれた両さんにお礼をいって
おじさんありがと!
おまえカゼ 完ぺきになおったよ明日 署にでろよ
はい部長によろしく
じゃバイ バイ
おうバイ バイ
ああまたな!

ガラガラ
死にぞこない電車か……
まるで部長のようなガンコな電車ってわけだ
どっちも万年まで生きそうだなあこりゃ！

★週刊少年ジャンプ1981年37号

視聴率競争!
の巻
バイク
バイクははやい!!
BIKE

さあーっ残り時間あと10秒！
必勝
すさまじいデッドヒートになってきました！
タイムアウト！その場を動かないでストップ
はい はい ただ今データがでてまいりました
さて今週のチャンピオンは………
総額57万円みつけだした埼玉《さいたま》の角田《かくだ》さんです
現ナマ取り合い
部屋かくしクイズ
また来週
こりゃ人気がでるよ みてるとまじめにはたらくのがバカらしくなる
回をおうごとに賞金額がふえてゆく現金つかみどり夢の番組！
さあ来週はあなたの番です！
視聴率が最高らしいですよ

元来の
クイズ番組と
ちがって
体力とカンの
勝負ですからね
よく
やるよ
ハジを 世間に
さらすような
もんだ
パリ
あたった
あたった!
ばか
びっくり
させるな
いきなり!
あたったんだっ
現ナマとりあい
クイズの
出場券が
きたんだ!
なにっ
今の番組
のか!?
すごいじゃ
ないですか
本田《ほんだ》さん!
応募2万人
の中で
えらばれ
たんだ!
でも
ぼ…ぼくは
テレ屋だから
だめだ……
テレビに
うつるなんて
はずかしくて……
じゃ
かわりに
だれか
でてもら
えば……
よろ
しい!

私が その役を ひきうけよう
さっき 恥をさらす ようだ…と
うるさい 気が かわったん だよ!
ほかの 出場者は ……?
えーと
消防士 自衛官 国鉄職員 税務署員 そして 警察官の 5名です
クイズ…… 出場券
フン ちょろい 連中 ばかりだ
先輩は 体力に かけては 負けないから むいてるかも しれませんよ
ふん まあな
昔は 建て前の 祝い金を まくというのを よくやった わしは その金を ひろうのが 一番早い
身のこなしと 目のよさには 自信がある
部長がなんと いうかが 一番の問題 ですね
なあに だいじょう ぶだ

だめだ
テレビに
でることは
ゆるさん！
部長
私は　金が
ほしくて
でるわけじゃ
ありませんよ
警官の
メンツを
かけて出場
するんです
おまえのことだ
金に目がくらむ！
その姿を　全国に
みせられるか！
警視庁の恥を
わざわざ
さらすような
ものだ
金に目が
くらみますか
あれはゲーム！
金など
ほしくない！
本当
だな
はい
！
ポイ
わおっ
金だ！

ほら! それが こわいと いうんだ おまえは 口と行動が ちがうからな
ひきょうだ いきなり ためすなんて これは 人の 性《さが》ですよ!
おまえのは 条件反射だ お金を 返さんか!
パッ
あっ どうも… ははは
出場は 明日なんです 広報課の OK《オーケー》もテレビ局 側から とった そうです
なにっ それじゃ もう 両津に きまったのか!?
う〜む よりによって 両津とは…
広報は 両津の実態を しらん連中 だな……
しかたない せめて 警察官という ことを 忘れるな 平常心を もって 冷静さを 忘れるな
もちろんです 警官として はずかしくない 行動をとります
おや 足元に 1万円が…
えっ どこ どこ 1万円
それが 十分 はずかしい 姿だ! おろかもの
パカッ
あたっ

東西テレビ
13CH TV
キッ
ごくろう 必ず 勝つからな
がんばって ください テレビで みてます
警視庁
先輩 勝たなくても いいから 行動に 気を つけて ください
わかってるよ！
部長も みてるそうですからね それを 十分頭にいれて
うるせえな もう
EXI
6 STUDIO

もうすでにみんなきてるぞ
火の用心
ヴィ
ヴィ
パチパチ
米入り
ポッカコーラ
みんな気合い十分ですね
なんのこっちも負けちゃいない
公務員大会出場のみなさんあつまってください
ガラッ
今日とり調べ室で空巣《あきす》に現金のかくされそうなポイントをきいてきた
山をはるわけか!

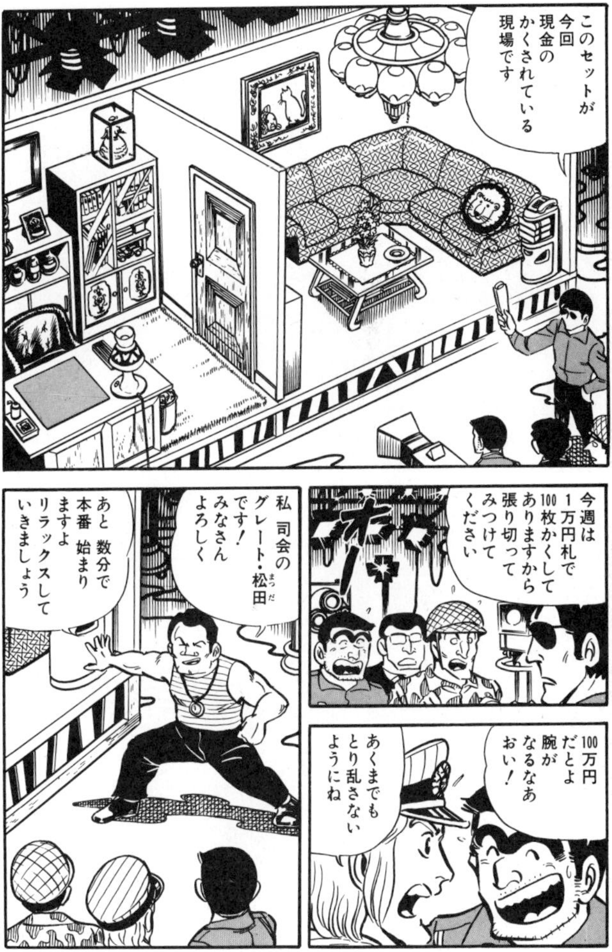
このセットが今回現金のかくされている現場です
今週は1万円札で100枚かくしてありますから張り切ってみつけてください
100万円だとよ 腕がなるなあ おい!
あくまでもとり乱さないようにね
私 司会のグレート・松田《まつだ》です! みなさんよろしく
あと 数分で本番 始まりますよ リラックスしていきましょう

部長さん もうすぐ 始まるわよ
そうか どうも 心配だよ
だいじょうぶよ たった15分間 ですもの 両ちゃん中心に うつすわけじゃ ないもの
しかし あいつは 目立つからな
現ナマ とりあい クイズ! いよいよ 始まり!
司会は 奥様が 泣いてよろこぶ 中年殺しの グレート・松田! 夢と現金が 即 あなたのもの あなた しあわせ テレビ局 ふしあわせ!
今週は なんと総額 100万円! ますます エキ サイティング
TTV
TTV

今回
5人の
しあわせ者は
この人たち
!!
不況しらず
親方
日の丸特集
この方がたが
クイズに
チャレンジ
しまーす
!!
部長
みてる?
心配ないよ
だいじょう
ぶ!
上司の方が
応援してる
らしいです
ね…?
ははは わしは
金をみると
目の色かわる
って 心配して
んですよ
両ちゃん
アップで
でてるわよ
う〜ぬ
ペラペラ
しゃべり
おって……
以前の女性大会も
ハードでした
今回は どのような
シーンが
みられますか!
時間は10分です
さあて
いよいよ
始めま
しょう

はい
質問！
家具などは
ぶっこわして
さがしても
いいんです
ね？
はっ!?
ま…まあ
そこは
世間の
常識に
まかせます
は…はは
そう
ですか
安心しました
力いっぱい
やります
スタート！
泣いても
笑っても
この10分間
だけ！
スタートとともに
アリのように
机にむらがり
ました！
過去の
データから
この机から
10万円ぐらい
でてきてます
ガタ
ダダッ
どけ どけ
おれが
先だ！
ドン
あっ
てめえーっ
人を
押しのけ
やがって
！

ははは…は これは単なるゲーム 楽しくやりましょう
早くも1枚発見 さすが税務署員
うぬくそ!
やった 空巣《あきす》のいったとおり引き出しの裏に はってあった!
警察官 体のわりに動きが機敏です 早くも7枚 発見してます
おっ 自衛官がとびこえた! レインジャー部隊ならではのテクニック!
つづいて額へ ここも可能性が高い

発見
10万円!
これはでかい
人の頭をふみやがって
それはわしの金だ!
このやろう!
グイッ
あっ
投げがはいりました
このゲームはプロレスの要素ももりこんでおります
発見後10秒以内ならうばいとるのも可能!
もりあがってきました
胸が痛くなってきた……
あった
なんだと
私のほうが先だ!
どっちが早かったかこいつにきいてみるか
い…いや

警察官
ダントツです！
うばいあいに
もちこめば
100パーセントの
勝率を
もっております
カメラ
あの男を
追ってくれ
はい
あと
20万だっ
どこだ！
キッ
きさま
金さがし回る
姿が　そんな
おもしれえ
のか！
くあっ
ひいっ
すごい
カメラマンに
くってかかって
おります
顔つきも
だんだん
かわって
きました
まさに
八《や》ッ墓《はか》村《むら》！

ないぞ！
ちくしょう
あと15万
どこへ かくし
やがった！
かくした
やつ
でてこい
ただじゃ
おかねえぞ
抜群の
もりあがりだ
カメラもっと
よって
は…
はい
松田くん
あの人に
インタ
ビュー
いやだ
もはや
ゲームでは
ない！
きみは
プロだろ！
これも
視聴率の
ためだ！
うわっ
ひえっ
怪物！
おまえ
しってるな
かくし場所
どこだ！
あと15万で
パーフェクト
だぜ！
しりません
ゆるしてください
しりません！
金…
金は
どこだ
………
かね〜っ

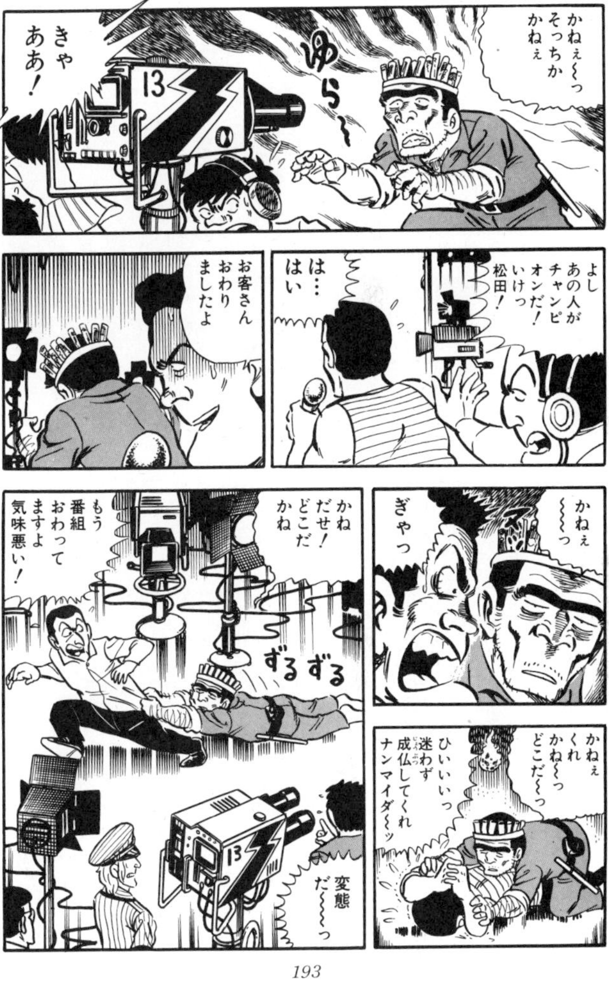

かねぇ〜っ そっちか かねぇ
ゆら〜
きゃ ああ!
よし あの人が チャンピオンだ! いけっ 松田!
は…はい
お客さん おわりましたよ
かねぇ〜〜っ
ぎゃっ
かねぇ くれ かね〜っ どこだ〜っ
ひいいいっ 迷わず 成仏《じょうぶつ》してくれ ナンマイダ〜ッ
かね だせ! どこだ かね
もう番組 おわって ますよ 気味悪い!
ずるずる
変態 だ〜〜っ

よく おぼえて ないんだが そんなに とり乱して いたのか? わし……
ちょっとね ぼくは そうでも ないけど みんなは びっくりしてた ようですね
でも よかった ですね 20万円も もらえて
本当は 100万円 みつけたのに くやしいな!
部長 ただいま! みて 20万もらっ ちゃった
ヌッ
おまえ ひとりの ため 警察官の イメージが一転 してしまった いさぎよく わしと いっしょに 花とちろう
やだ~~~っ まだ ちりたく ない! 部長だけ ちって!

★週刊少年ジャンプ1981年31号

ホットの前田！の巻
モデルガン オートバイ改造 臼寝工務店
立食そば
マグナム
マグナム
ドン
ごっそさん！
まだたべてんのかよグズだな！
20秒でたべるのは先輩ぐらいですよ！
立ちぐいソバってのは早さに意味があるんだぞ
消化に悪いですよ！
ジジイくせえこといいやがって先にいくぞ！
おっと！
Hot Corvette

# 前田！の巻

ホットの
よう両さんパトロールかい？
なんだ前田《まえだ》か！
Hot Corvett

どう？
いっしょに
一号線でも
とばさない
？
すごい
58年型の
コルベットだ
ガチャ
バム
相かわらず
ギンギンな
車に
乗っている
じゃないか

だめだめ きいて みなきゃ もう一度 いくよ
チャッ
えっ
ドドム
この音 しびれる でしょう これが アメ車の魅力
ドアの音 など どんなものでも 同じじゃないか
先輩 この人は だれなん ですか?
警官だよ
え!? 警察官
パトカー 勤務の 前田という やつだ
別名 ホットロッドの 前田といって 自分の乗る車は すべて改造する 男だよ

元整備士
だったからな
パトカーまで
チューンナップ
しちまうんだ
ものすごい
人ですね
そうか！
今日は
勤務が
あるのか！
わすれてたよ
いいかげん
なやつだ
ちょいと
車かえて
くるからな
そこで
まってて
くれ！
いいよ
Not Corvette

すごい馬力のある車だなあ
東京であんなでかい車乗り回されちゃじゃまでたまらんよ
せっかくだからあいつのパトカーに便乗しようぜ
いいですよ
警視庁
ずいぶんやかましい車だな
ちょいとエンジンいじっただけでこれだよ やだね 日本車は…

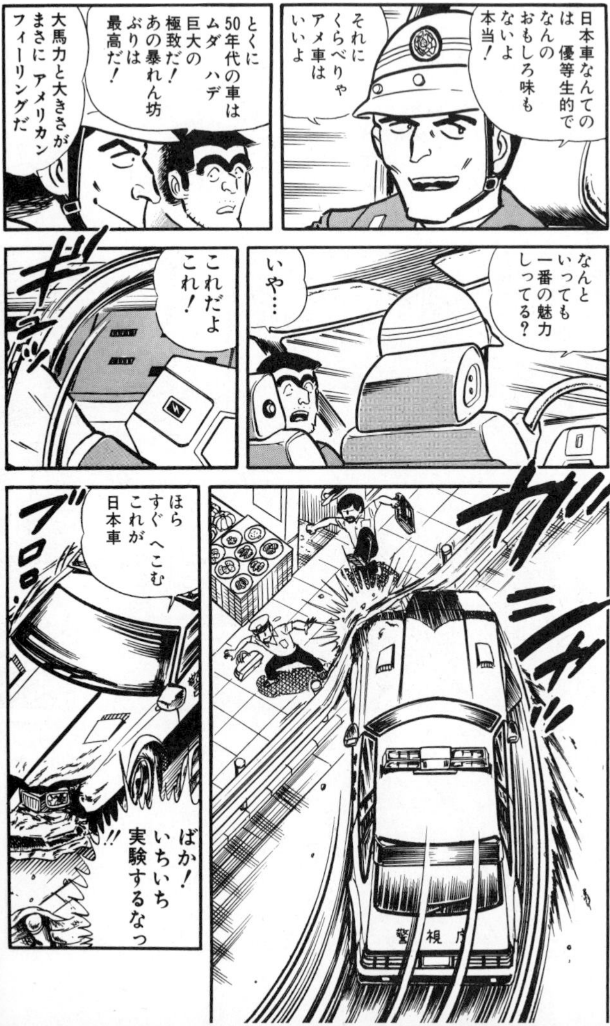
日本車なんてのは 優等生的でなんのおもしろ味もないよ 本当!
それにくらべりゃアメ車はいいよ
とくに50年代の車はムダ ハデ 巨大の極致だ! あの暴れん坊ぶりは最高だ!
大馬力と大きさがまさに アメリカンフィーリングだ
なんといっても一番の魅力しってる?
いや…
これだよこれ!
ギギュッ
ガシャガシャ
ほらすぐ へこむ これが日本車
ブロロ
ばか! いちいち実験するなっ
警視庁

アメ車はタフだからねヘタな安全対策よりもがんじょうさにつきるよ
映画「ブリット」のムスタングみましたか？
映画の話より前みて運転しろ！
シルビアはノーズが低すぎるだから日本車は乗りにくい！
おまえの場合は車より運転に問題がある！

おっと本部から連絡だ
ピーピー
はい はい前田です
はい！了解
よく無線機がこわれないな
なんだって…？
ふ頭でゼロヨンレースが始まってるから取りしまれとさ
ゼロヨンってなんのことだ？
速く走る競争！
昼間から始めるとはケイキいいな！
ガチャ
グオオロロ…
ギャ
ギッ

ムチャな
走り方
するな！
どうも
右ハンドルは
運転しにくい
お おい
左側を
走るんだ！
こらっ
ドドゥ

おっと
そうか
そうか
つい
アメリカに
いたころの
クセが
でてしまっ
てね
たまに
まちがえて
ははは
先輩
だいじょうぶ
なんですか
あまり
長くは
乗っていたく
ないな!

いっぱい あつまってるな……
なんだ ボロボロの 車が くるぞ
ホットの 前田さん じゃないか
そうだよ 前田さんだ
前田さん レース用に 車を軽くして きたんですか？
まあ そんな ところ だな……
ブロロ

前田さん いつもの コルベット は？
家に あるよ 今日は 仕事だからな
おい ずいぶん 連中と したしいん だな
カーキチ 同士 だからな ツーカーだよ
しかし ずいぶん あつまった ものですね
若い人たち ばかり！
そんな ことない 年長も いるよ ほら！
グロリア おじさんと よばれてる 最年長の ゼロヨンマニア だ
愛車 グロリアに 生活用具一式 つめこんで 生活してるのは あの人だけ だよ
退職金で68年型の ハチマキ グロリアを 買って 年金を 改造費に 回してるほど だからね
徹底して いるな

そろそろレースが始まる……オレも車をもってこよう
今からかよ？
まってました三輪の王者
またチューンナップしてきたぞ――っ！
CB《シービー》無線で仲間にもってきてもらうよ
いろんなものがはいってるんだな
ドドドド
あの三輪戦車のエンジンをつんでるっていってましたよ
なにっ戦車の!?
ド
ギャギャギャ
シャー
なに考えてるんだあいつら
さあ？

やったーっ三輪風車!!
ケタはずれのパワーだ!
若者のやることはわけがわからん!
RX《アールエックス》－7
12.5秒
やった!
ワー
おっ
あの音は?
でた!うぐいす色のキャデラック!!
ワー

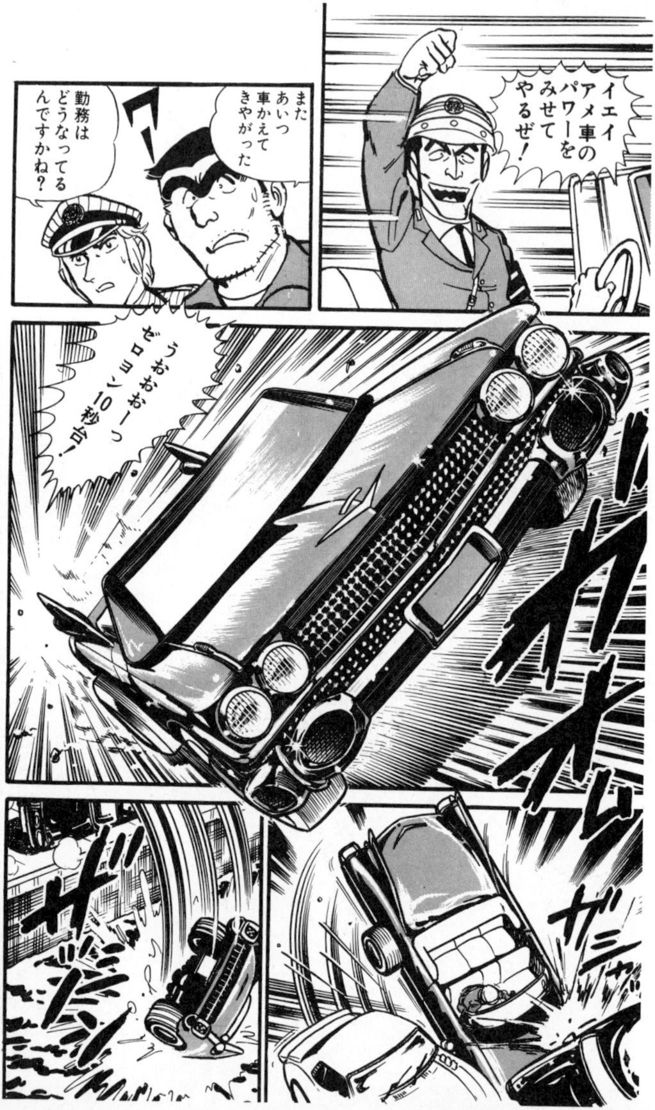
イエイ アメ車のパワーをみせてやるぜ!
また あいつ 車かえてきやがった
勤務はどうなってるんですかね?
うおおおーっ ゼロヨン10秒台!

★週刊少年ジャンプ1981年29号

二輪戦争！の巻
SHERIFF
LOS ANGLES COUNTY
RIOT

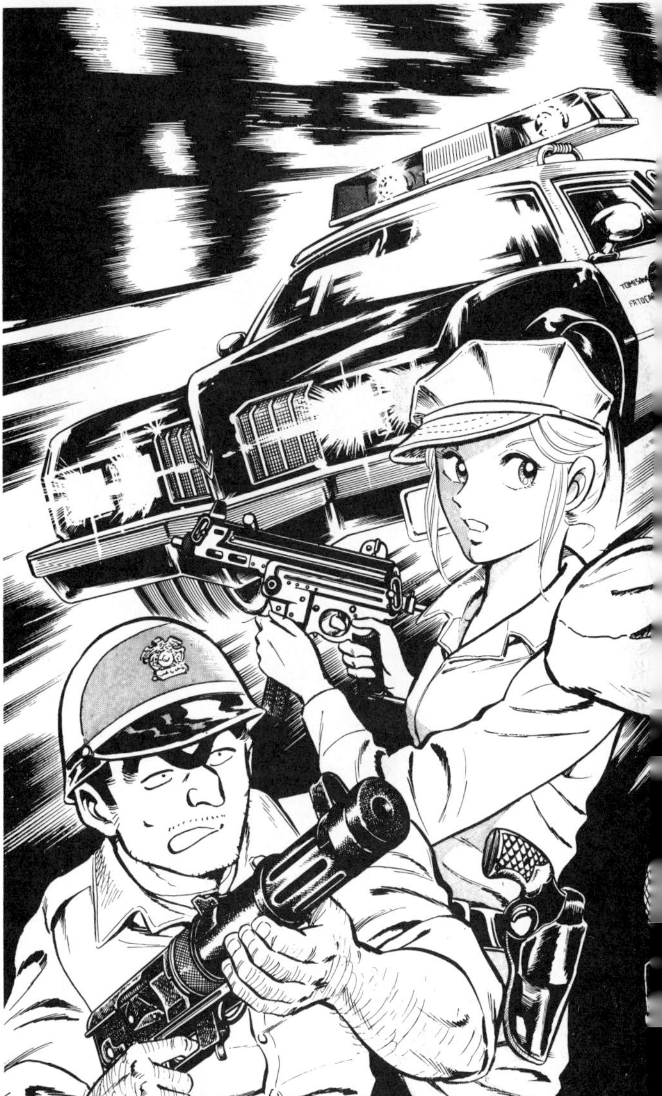
TOMISAWA
PATOCAR

えっ 自転車の整理にいくんですか!
例の駅前なんだが もう区役所じゃ手が つけられんからと 署に連絡があってな
そこなら 先月 自転車駐車場ができて解決したんじゃないんですか?
駅からはなれてるため 不人気で ほとんど使用していないらしい
とにかく身動きができんぐらいの 自転車の数だ…いざ災害になった時 非常に危険だ!
さっそくいってきます
ちょっとまて!
自転車を動かすのに体力のある男をつれていったほうがいいだろ
おい 両津!
はは い!なんでしょう

中川といっしょに駅前の自転車を整理してこい
えっ自転車？
自分の物にするなよ ちゃんとかたづけてくるんだぞ
わかってますよっ そんなこと
パパッ
パン
パン
なんだっておれたちが自転車をかたづけるんだよ 中川
それにしてもゆれる車だな…
やたらに一般の人がもっていったら窃盗になりますからね
今は自転車ドロがすごくふえてきてるんです
わしがガキのころは駅に自転車など一台もおいてなかったぞ
住宅が駅から遠くなってきてるでしょ 自転車も使いすて時代ですからね
わしなどバス停の2〜3ぐらいよく歩いたもんだ
現代人はまったく横着だ！だから体力もなくなるんだ

亀町駅
KiOTSUKE
ギィ
!
なるほど かなりの 自転車が おいてあるな
バタッ
自動車も とおれ ませんよ

先輩は
そっちのほうを
おねがいします
今さら
かたづけても
焼け石に水って
感じだよ
こんなに
よく まあ
自転車が
あつまった
もんだな
ドヤ
ドヤ
うわっ
ガチャ
ガチャ
てめえら
前をみて
あるけ！
ちくしょう
だいじょう
ぶですか
先輩！
まったく
もう
自転車
だらけだ！
カチャ
カチャ
ぐわっ

いたたっ スポークの中に足がはさまった！ぬけない いてててっ
ガチャ
あばれるとよけいとれなくなりますよ
ガチャ
足の皮がむけたあっ
まるで自転車の樹海だよ
ちゃんとここにおかないようかいてあるんですけどねえ
……
やり方がてぬるい 口でいってわからなきゃ実力行使しかないだろう
それじゃケンカ腰じゃないですか！
あたり気しゃり気やるなら徹底的にやれ！
あっ
ガシャ
ガシャ

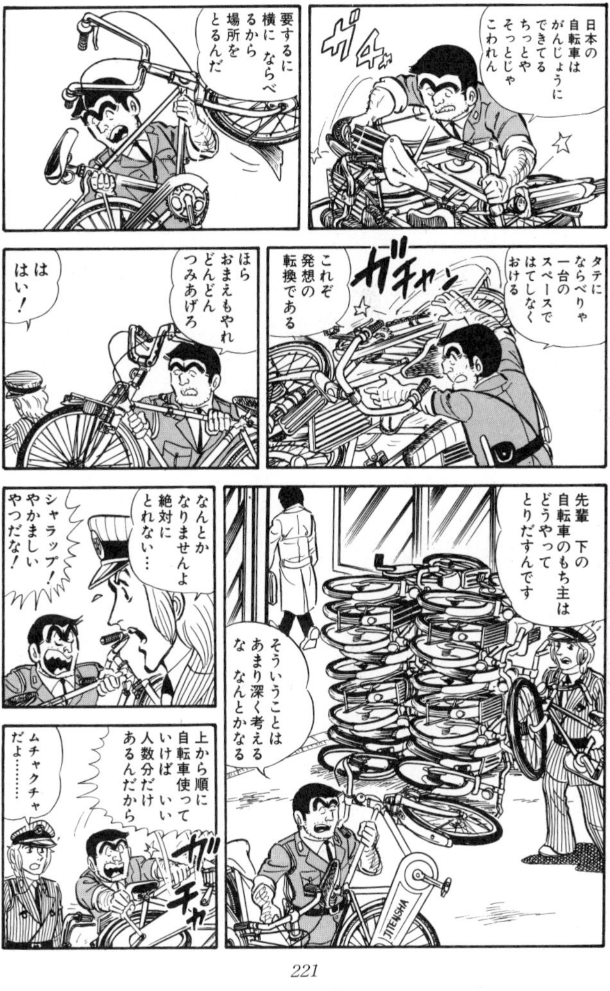

日本の自転車はがんじょうにできてるちっとやそっとじゃこわれん
要するに横に ならべるから場所をとるんだ
タテにならべりゃ一台のスペースではてしなくおける
ガチャン
これぞ発想の転換である
ほらおまえもやれどんどんつみあげろ
はは、はい!
先輩 下の自転車のもち主はどうやってとりだすんです
そういうことはあまり深く考えるな なんとかなる
JITENSHA
なんとかなりませんよ絶対にとれない…
シャラップ!やかましいやつだな!
上から順に自転車使っていけば いい人数分だけあるんだから
ガチャ
ムチャクチャだよ……

ちょっとしなってきたぞ
電柱にしばりつけとけ
どうも先輩のやり方にはついていけないな
これでだいぶ広くなったじゃないか!
よいしょっと!
カチャ
おい そこに自転車とめるなよ
みんなとめてるじゃないですか

どこに とめてあんだよ よく みろ!
ありゃ? 一台もない
ガラーーン
ひどい! あんなとこに 山づみに してある!
わかったら 自転車をもって 帰れ! さもなくば かついで 電車にのれ!
ここに おいとけば いいでしょ ここに!
だれが 下におけと いった
どうして だめなん ですか?
一番上に おくんだよ 高く どんどん つんでいく んだ!
えーーっ 一番上 に!?
そうだよ 一番上!!

ふう こんなことするなら歩いてきたほうが楽だよ
カチャ
カチャ
自転車公害はひとり ひとりの自覚が大切だ
数日後
その後役所からなにもいってきませんね
強行手段がきいたらしいな
そうですね
おい 両津 外の自転車はなんだ？
えっ 自転車？
広辞苑
チャリンコの恐怖
まさかおまえがもってきたんじゃないだろうな
じょうだんじゃありませんよ！こんな たくさん
交通安全

それにしてもいつの間に…
前から数台はありましたけどね
それにしてもすごい数だな
まったくですね
おいこっちにもあるぞ
ずっと先までつづいているぞすごいな
町中自転車だらけですよ
いったいどこまでつづいているんだまったく
ふうこの角でおわりかな…

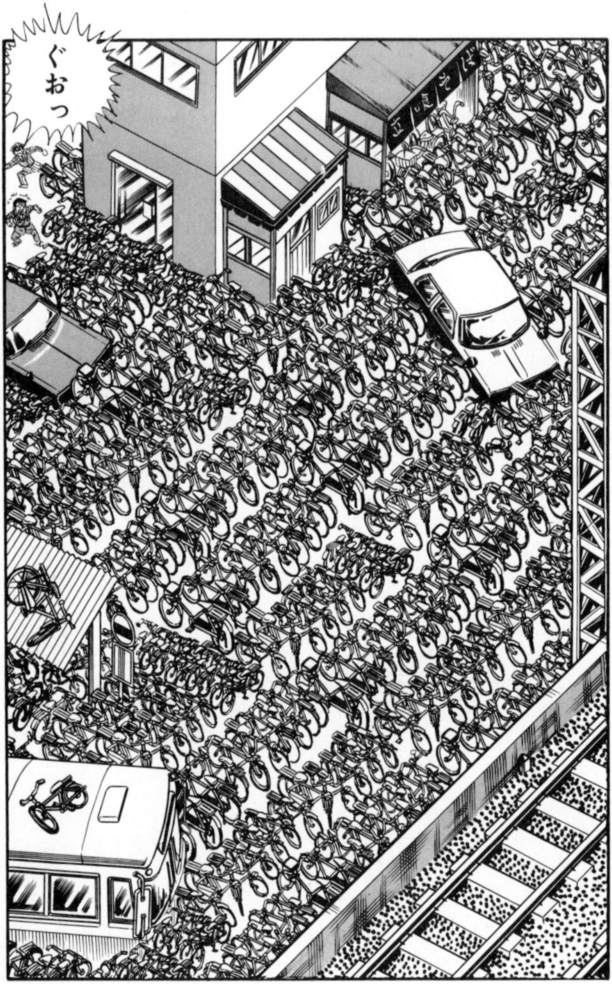
ぐおっ
立喰そば

な なんだ このありさまは!?
自転車で完全に駅が うまっていますよ
亀町駅
みわたすかぎりの自転車畑って感じだな…
まるでヒッチコックの『鳥』みたいですね
こりゃ帰って作戦をねらんとだめだぞ
そのようですね
ガチャ
ガチャ
ガチャ
おい もどらんとうしろがふさがっちまうぞ
あっ

さっき 署からも連絡が あってななんとか手をうたんといかん!
どんどんふえて ひろがってますよまるでカビの繁殖だ!
もはや穴をほって一台づつうめていくしかないです!
犬じゃないんだぞ
住民パワーもあそこまでいくと 警察力じゃおさえられなくなりますよ
本当か
部長!もはや住民と我われの全面戦争しかありませんぞ!
おまえはヤクザ映画のみすぎだ
明日の朝署がとりしまりをやるそうだわしらも参加する
そうだ!やるべきだやれ〜っ
ひさびさの出動で腕がなる…うふふ……楽しみだ…
ヤクザの出入りとまちがえているぞあのバカ

あれ？
なんだ あれは
二輪商事
駅利用のみなさんにおしらせします 駅前は 全面駐車禁止です
亀町駅
自転車はさだめられた場所に おいてください それ以外においてあるのは強制撤去します
じょうだんじゃない！ 有料駐車場なんかにおけるか！
我われも生活がかかっているんだぞ
うわっ
こらっ はいっちゃいかん！

こらっ
だめだ！
シャア
いかんと
いうのに
シャアアー
ほら
みなさい
やり方が
甘すぎる
からですよ
うーむ
ここはひとつ
わたしに
まかせて
ください
なにする
気だ
両津！
自分の
一台くらい
だいじょうぶ
ですよ
そうそう
わたしのも
一台くらい
ガチャ
ガチャ
はいはい
前の人
どいて
ください
強制撤去の
実演に
まいりました
ガガ
ガガ
ガチャ
ガチャ
うわっ
おや？

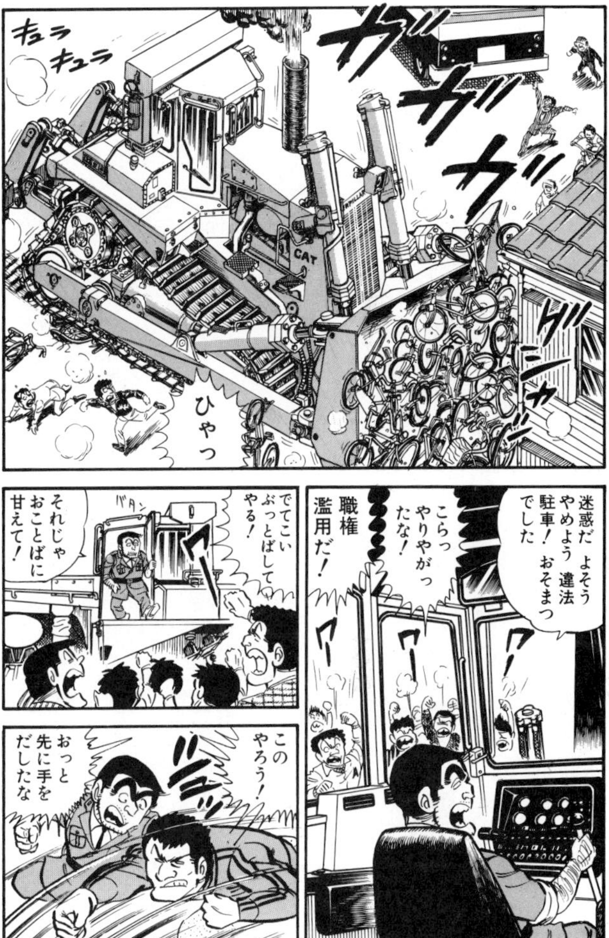
キュラ
キュラ
ガガガガ
ぐにゃ
ひゃっ
迷惑だ よそう 違法駐車！ おそまつでした
こらっ やりやがったな！
職権濫用だ！
ワー
ワー
ワー
でてこい ぶっとばしてやる！
それじゃ おことばに甘えて！
このやろう！
おっと 先に手を だしたな

現代人と わしの体力じゃ 勝負にならん
うわっ
ヒョイ
一日20キロ歩いていたわしにかなうと思うか！
ぎゃっ
たばになってかかってこい どりゃーっ
ぐわっ
ビュッ
すごい力だ あの警官……
20人相手にしているぞ
亀町駅
うーむ やはり体力があるとちがうな
すばらしいパワーだ
こら 両津 やめんかっ

★週刊少年ジャンプ1981年12号

# ニューフェースの

# 任務の巻

**あきもと・プロ作品**

総指揮　あきもと　おさむ

こちら葛飾区
亀有公園前
**派出所**

—制作スタッフ—

構成　あきもとおさむ

構図　モンキー　脚本　中島玉美《なかじまたまみ》

担当　マル・H《エッチ》

—作画—

ジャイアント田母神《たもがみ》　たま　富沢《とみさわ》

ガバメント　うすね　山本《やまもと》　元《げん》三郎《ざぶろう》

あきもと　おさむ

こちら葛飾区亀有公園前派出所

PART《パート》1　かれは 背後にいた

今日 新しい警官がこの派出所に卒配するらしいですよ
本当か どんなやつだ
それが書類にはかいてないんですよ
どれみせてみろ!
なんだこりゃさっぱりわからん
氏名 不明
現住所
不明
経歴
小学校→不明
みんなからはG《ジー》とよばれてるようです
“G《ジー》”だと いつごろそいつがくるんだ?
もうきている
消火器
ぎょっ びっくりした!

こちら葛飾区亀有公園前派出所

PART《パート》2

そして かれは カニになった

いきなり変なところからでてくるなびっくりするじゃないか！
……
……
ずいぶん無口なやつだな
……
あっありました後流悟《ごるご》十三《じゅうぞう》19歳とかいてあります
まだガキか
新米ならあいさつくらいしたらどうだ…
あれ？
いなくなったぞ
同じところにじっと たっているほどぼくは自信家じゃない
あっそんなところに！

おい こっちへ こいよ
……
サササッ
……
おい おい まて こら
カサ カサ
下半身だけで器用に動くやつだな
はあ
はあ
……
おまえ…… カニ年うまれかよ?
……
先輩 いやがってるのに やめなさいよ
気持ち悪い動き しやがるからな
ありゃ どうしたんだ……
ククク…
今のカニ年というのがうけたんじゃないですか?
あんな古いギャグがおもしろいのか? どういうセンスしてんだ……
火の用心
表情もかえず わらうなんて ますます気味悪いやつだ
……
ククク

こちら葛飾区亀有公園前派出所
PART《パート》3
歯《は》車《ぐるま》男《おとこ》
それで仕事の内容は？
………
まっ道案内とか警らとかいろいろだ
けっこう気楽なもんよ
楽にやろうぜ
ズダッ
なにしやがるんだこのやろう！
ぼくのうしろにたたないほうがいい危険だ
ぼくの体はマシンと化している自分自身でもとめられない
もっとリラックスしたほうがいいよ キミ
………
御用

こちら葛飾区亀有公園前派出所

PART《パート》4

# 実用新案の品

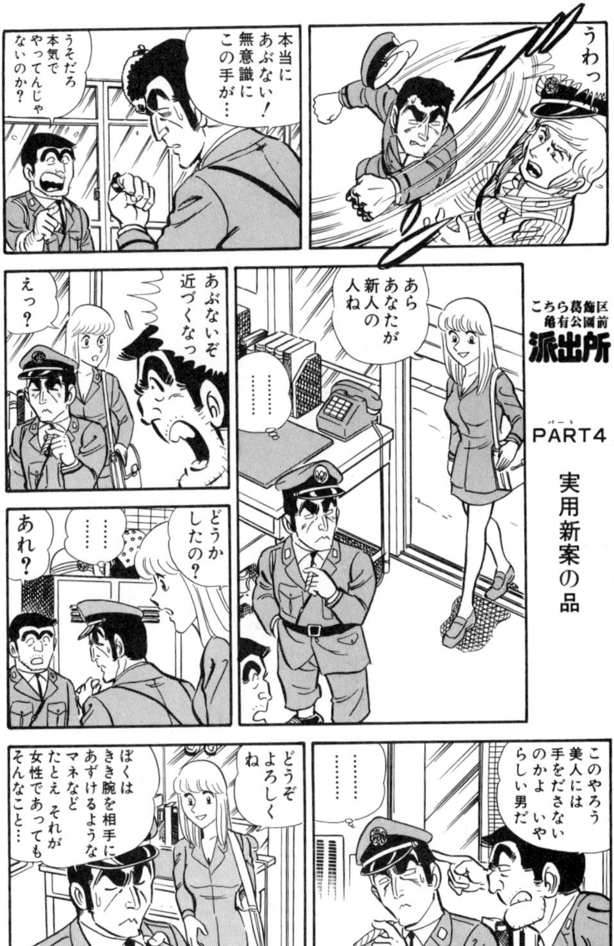
うわっ
本当に あぶない! 無意識に この手が…
うそだろ 本気で やってんじゃ ないのか?
あら あなたが 新人の 人ね
……
あぶないぞ 近づくなっ
えっ?
どうか したの?
……
あれ?
このやろう 美人には 手をださない のかよ いやらしい男だ
……
どうぞ よろしく ね
ぼくは きき腕を相手に あずけるような マネなど たとえ それが 女性であっても そんなこと…

よろしくおねがいします
後流悟 十三です
19歳です
独身です
ギュ
理屈が多いんだな
あいつは…
それで仕事の内容は？
さっきいったとおりだよ
後流悟さん…
はは い
………
もう 手をはなしてくれますか
あっ いつの間に不思議だ
小包です
なにっ
ドサッ
カメラのサンプル
葛飾区亀有公園前派出所

カメラのサンプルなんだこりゃ
それはぼくのだ
カメラが趣味なのか?
いやちがう
シャキ
キリ
キリ
ジャキッ
ジャキーン
自動小銃じゃないか!
……
……
持出禁止
……
ピタ
ぎゃあうつな!
実用新案ライター
カチッ

これでつけるタバコはうまい
こいつ19歳のくせにすうな!
あまりガキのうちからすってるとバカになって歯がまっ黒になるぞ
………
ク・ク・ク
おっきたっ
今の会話にわらうとこがあったか?
さあ…うけとめ方のちがいでしょ
ククク
こりゃおもしろい……ようし
タバコをすいすぎるとレントゲンの時に胸に専売公社のマークがうつるんだぞ
………
カメののろいの話あるところにおそいカメがいたそうな…カメののろい
ネコがいたそうな…ネコのおんねん
先輩!
ク・ク・ク

こいつ おもしれえ
ギャグセンスが5〜6年はおくれている貴重な男だ
仕事にならないじゃないですか
それにしてもこいつどこかでみたような顔だな
星《ほし》の弟かな?
おい ちょっと
人の顔であそばないでくれ!
わしよりふといまゆ毛しとるなおまえ……
こうするとだれかに…
すいません道をききたいんですが…
道か……

こちら葛飾区亀有公園前
派出所
PART《パート》5
A《エー》地点から…

新米 いって こい…
仕事だな
ピッ
御用
持出禁止
あの……
ちょっとまて…
カチッ
用件をきこうか
亀有《かめあり》演芸場はどこですか？
者賞の受賞 案中！
フー
亀有 演芸場… 漫才……
ザ・ボンチ……
ブッ
えっ
愛読者賞の受賞の言葉 思案中！

あの演芸場は…？
ククク
ク.ク.ク.
気味の悪い人だ
読者賞の受賞の言葉 思案中！
クククク
おい 事件だ おまえもくるか！
なにっ イスラエルの工作員が行動をおこした？
キッ
なに いってんだ 早く 車にのるんだよ
相手に無用な背をみせて先にのりこむのはすきじゃない
お先に
つべこべいわず早くのらんか！
あっ
ドッ
バオオオオ

こちら葛飾区
亀有公園前
派出所

## PART《パート》6　アシスタントの任務

今回は場面転換にえらく時間がかかったな
バタッ
どうもごくろうさまです
犯人がまだこの付近に身をひそめてます 空巣《あきす》常習犯です!
ようし手わけしてさがしだすんだ
……それで仕事の内容は?
今いったろなにきいてるんだっバカ!
パカ
なにもたたくことないじゃないか パアになったらどうする
ショックをあたえたほうが回転がよくなる
中川はむこうだおまえらはあっちだ!
はい
CIA《シーアイエー》支局がブツブツ…
………
はい
止まれ

こちら葛飾区亀有公園前派出所

# PART《パート》7　十三《じゅうぞう》の判断

いい車だ　しかし　燃費は悪い　だろうな
外車は　重量税が　高いし…　アフター　サービスが　悪い……
ブツブツ
……………
ガサ
そこだっ
チャッ
うっ……
……………
ニャ～
ザッ
動くな　きさま！
おまえが　犯人だろっ
ネコに　変装しても　ごまかせん　ぞ！
用件を　いって　みろ！
ニャ～

ようし…まっすぐ歩くんだパトカーにのれ
ふりむいたら標的だぞ
先輩新人がネコをつれてきましたよ
ネコ?
なにかのおまじないですか?
ほうっておけ!若いやつのやることはわからん
それより自分のほうをさがせ近くにいるはずだ
む?
バキッ
ちくしょうみつかったか!

こちら葛飾区亀有公園前派出所

PART《パート》8

# 十三《じゅうぞう》の目ざめ

死ねっ てめえ!
ガブ
ぎゃっ いたい!!
ビビク
ゴギッ
ズシャ
やったぞ!
よく つかまえた な! 新米!
し… 仕事だ………
リュボッ

★週刊少年ジャンプ1981年14号

# わたしの両さんの巻

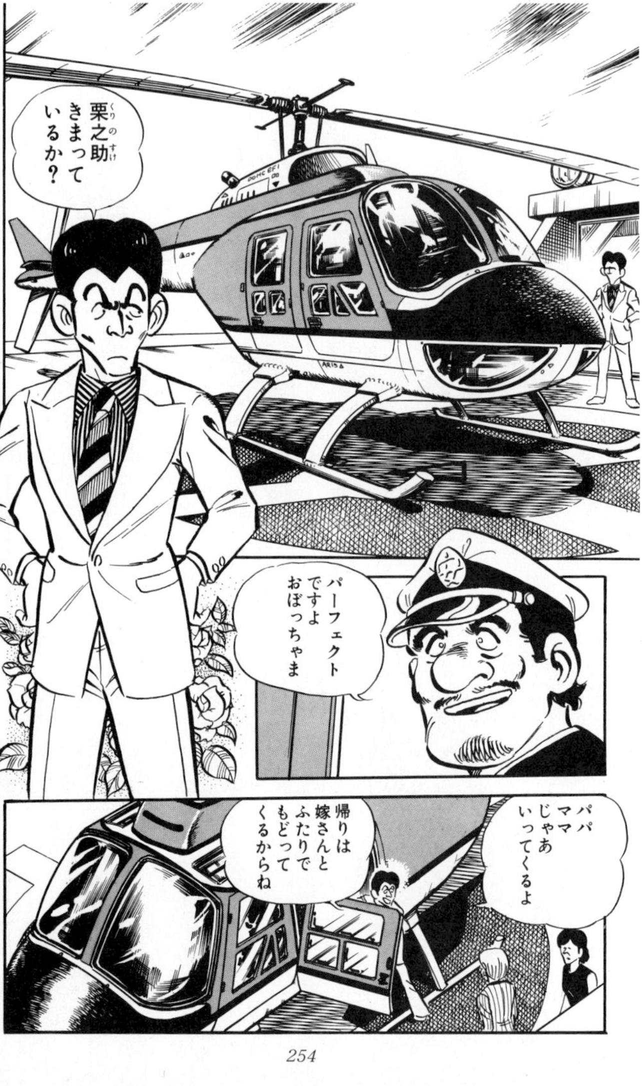
栗《くり》之《の》助《すけ》きまっているか？
パーフェクトですよおぼっちゃま
パパママじゃあいってくるよ
帰りは嫁さんとふたりでもどってくるからね

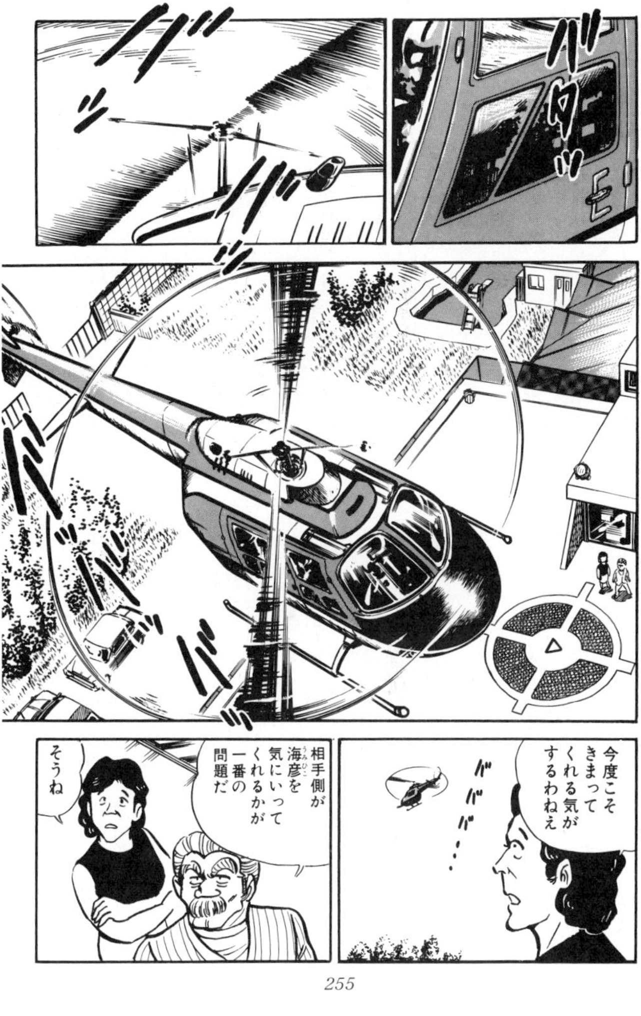
今度こそきまってくれる気がするわねえ
相手側が海彦《うみひこ》を気にいってくれるかが一番の問題だ
そうね

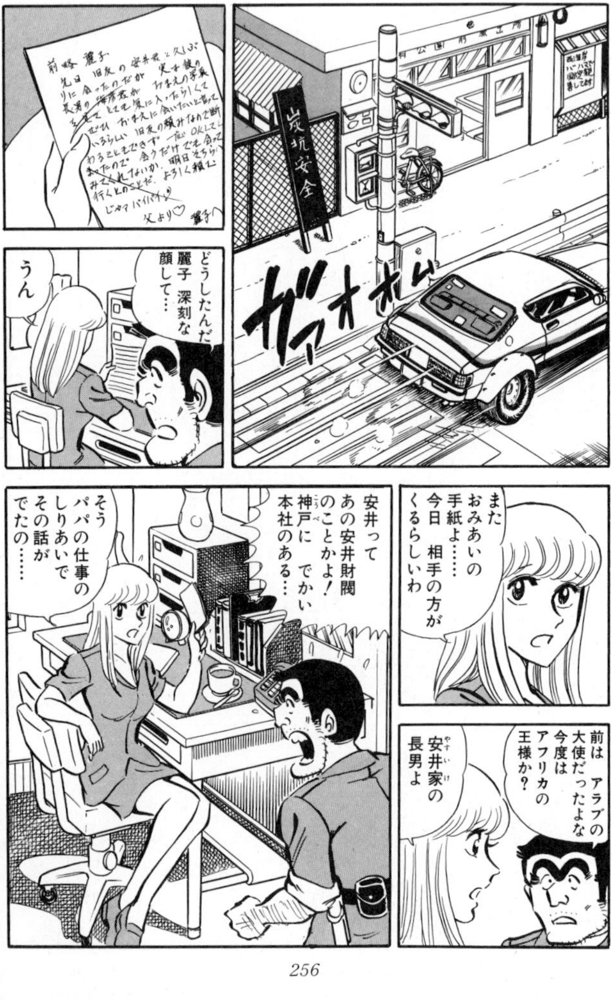
炭坑安全
ガァオオム
前略 麗子
先日 旧友の安井君と久しぶりに会ったのだが 実は彼の長男の海彦君が おまえの写真を見て とても気に入ったらしくて ぜひ おまえに会いたいと言っているらしい 旧友の頼みなので断わることもできず 一応OKしてしまったので 会うだけでも会ってみてくれないか。明日そちらへ行くとのことだ。よろしく頼む
じゃマ バイバイ
父より♡
麗子へ
どうしたんだ 麗子 深刻な 顔して…
うん
また おみあいの 手紙よ…… 今日 相手の方が くるらしいわ
安井って あの安井財閥 のことかよ! 神戸《こうべ》に でかい 本社のある…
そう パパの仕事の しりあいで その話が でたの……
前は アラブの 大使だったよな 今度は アフリカの 王様か?
安井家《やすいけ》の 長男よ

いい話じゃ ないか！ 一生あそんで 極楽の生活が おくれるぞ！
全然 興味ない わ………
おまえなあ 世間じゃ そんな うまい話 そう あるもん じゃないぞ ぜいたくな…
な…なんだっ 地震か!?
御用
持出禁止
変ね… 派出所 だけよ ゆれたのは
おかしいな ちょっと みてくる
あっ
おい こら そこは 駐車禁止 だぞ！

麗子さんはいるかい むかえにきたんだ!
なに!? 麗子に用事か?
安井海彦が会いにきたといってくれ
あいつが安井財閥の長男か…
栗之助 きまってるか?
はい 最高です おぼっちゃま
おっ
おおっ 写真とドンピシャの美人だ!

はじめまして 安井海彦です！
あなたの みあい写真を みてから いても たっても いられず とんできました
派出所
読者へのメッセージ 梅雨シーズンは体調をこわしやすくなります。寝びえに注意！ ハラ8分！
おい！ 例の物を…
はい
麗子さまに ぼっちゃまから プレゼントを したいと… ぜひ うけとって ください
格闘技用
こまります 突然 こんな 高価な物…
そんなに 高い物じゃ ありませんよ なあ 栗之助
はい 9千万円 ほどの ダイヤです から……
本当に けっこう です
ほう ことわる
こまったな 一度 だした物は ぼくも うけとれ ないな……
はっ
はっ
そう… そういう時は すてるしか ない……
ポイ
あっ

チン
ポチャ
ダッ
うおおっ 9千万のダイヤ!
下水においてしまった!
私 仕事がありますので ごめんなさい
パラ
ご心配なく さきほど署長に いって話を つけてきましたから
一週間の特別婦警休暇になってます あなたは休みですよ
まあ 本当だわ!?
あなたはおぼっちゃまとデートすることが 一番と思います
手回しがいいのね
今の時期のカリフォルニアは最高ですよ ぼくのヨットもぜひ みせたい
ちょっとまってよ!
負けたわ つきあいましょう
ははは そうこなくちゃ! いきましょう

どこへ いくつもり なの…？
カリフォルニアですよ 西海岸の……しりませんか？
そんなところまで いかれないわよ…
パスポートなら機内に用意してます
おぼっちゃま おむかえに あがらなくて 申しわけありません
プライベートだからね 今日は はっははは
成田空港《なりたくうこう》まで…でしたね おぼっちゃま
そうだ どのくらいかかる？
高速道路を閉鎖してますから 30分ほどでつきます
よし いってくれ
両ちゃん助けて

あれ？
ブロロ…
今の車にのってたのは麗子さんだどこへいったんですか？
アメリカのカリフォルニア……
えっアメリカに!?
麗子さんまってくださいよ!!
グオオオ

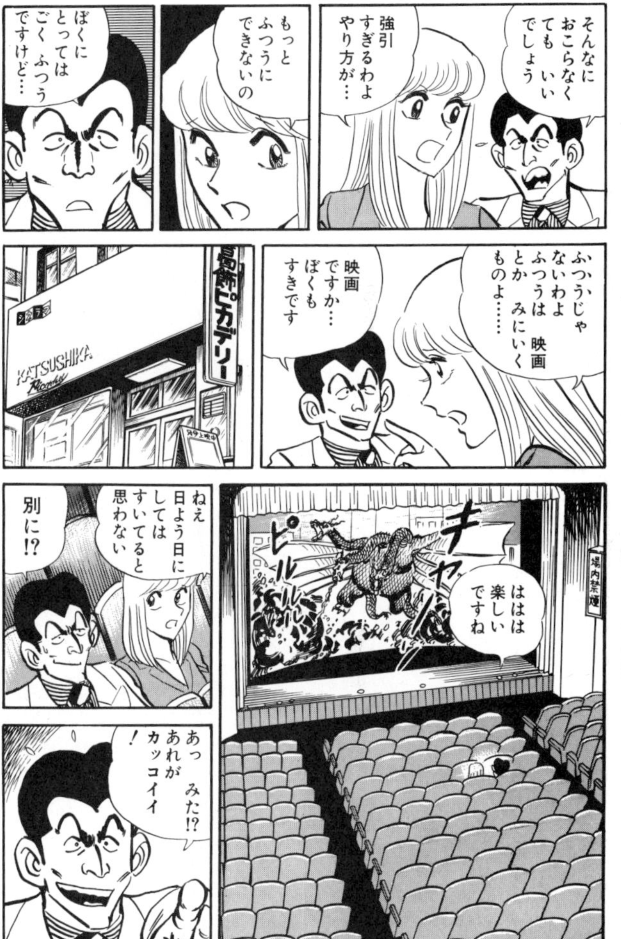

そんなにおこらなくても いいでしょう
強引すぎるわよ やり方が…
もっとふつうにできないの
ぼくにとってはごく ふつうですけど…
ふつうじゃないわよ ふつうは 映画とか みにいくものよ……
映画ですか… ぼくもすきです
葛飾ピカデリー
KATSUSHIKA
キャー
場内禁煙
ははは 楽しいですね
ねえ 日よう日にしてはすいてると思わない
別に!?
あっ みた!? あれがカッコイイ!

おーい 今のシーン もう 一度 写してくれ
はい おぼっちゃま
ねえ この映画館 しってるの？
パパの会社の関連企業なんだよ
だから気を遣って貸し切りにしたのよ きっと！
そうか でも 映画は すいてるほうが いいよ
帰りましょう
非常口
あっ 麗子さん！
料理2F
ゲームセンター9時
KAT
せっかく おもしろい ところなのに
わたしたちのために貸し切っちゃ ほかの人が かわいそうよ
じゃ コーヒーでも のみませんか おいしい店 しってますよ
そうね
栗之助 すぐ ハワイのキップ用意してくれ！ 二枚
すぐ あれなんだから……

ねえ…じゃあわたしのしってるお店にしましょう
ええけっこうですよ
スペースシャトル
BAR
いいお店ですねさすが麗子さんはセンスがいい！
ところで今麗子さんの一番ほしい物はなんですか
そうね……
ないわ別に……
そうか麗子さんの家も財閥ですからね

両親からはお金もらったことないわお給料だけで十分よ
またァじょうだんを！
ぼくなど月のこづかい1500万もらってますが…とてもたりない！
使いすぎよそんなに!!
昔から1円を笑う者は1円に泣くというでしょう今に しっぺ返しが くるわよ
1円？まだ そんな金使えるんですかァ？100円以下はここ5年ばかりみたことありませんよ
唐突ですがぼくのようなタイプ……どうですか？
結婚の相手として…
ごめんなさいまだ 結婚は考えてないわ
ぼくのどこが悪いんですかっ金もあるしカッコいいし別荘もあるし
そういうことじゃないの…あこがれてる人がいるのよ……
え…ど…どんな人ですか？

自分の思う通りに生きていていつも明るく人生を楽しめる人よ うらやましい
両ちゃんっていうのよ……
ぜひその人に会いたい!!
ぼく勝負してやる!
派出所
買う気持ちおくる自信 少年ジャンプ!
えっこの人が!?
しんじられんこんなおっさんがライバル?
だれがおっさんだ!

勝負にならん 顔 スタイル 若さ センス どれをとっても勝ってる！
なんだよっ うるせえな！
大学はどこ でましたか？
そんなのいかん！
ぼく 京大《きょうだい》！ では 貯金はいくら？
ない
ぼく 5億8千万円
ますます わからん いったい こんな人の どこに 魅力が あるんだ
よけいな お世話だ バカッ
うおっ
う～む これは強敵だ 外見とも 互角だ……
なにが ですか …？
禁止
きみっ 愛車は なん台 もってる？ 3台 4台？
愛車？ そうです ね……
2千台 くらい かなあ
勝った！ ぼくは 200台だ はっはは

えっ なに！ 2千台!?
クラシックカーやレーシングマシンをまぜれば5千台ぐらいになるかな？
ははは わかった！ トミカのでしょ ミニカーの話ね………
いえ 実物ですよ………
じゃあ 学校はどこを…？
最終的にはハーバード大《だい》かなあ……6歳のころからアメリカに留学してたから……
それで別荘なんかもあるわけ？
カナダに20…バハマ コートダジュールに10軒…あと 南の島が200くらい……
お宅 大会社かなんかやってるの？
おじいさんがやってるからよく しらないけど…世界に千社くらいあるんじゃないのかな………油田も鉱山 炭鉱もずいぶんもってるみたい…
金持ちくらべなら中川にはかなわんよ青年
えっ 中川!!
ひょっとして世界財閥の5本指にはいる中川家の御子息!?
まあね でも それは親の事業でぼくは タッチしてないから

なんで そんな身でありながらこんな下町で警官やってるんだ!
別に…すきだからだよ
するとあんたも財閥の出身?
わしはノーマルだ浅草《あさくさ》のつくだ煮屋出身!
信じられん派出所だ ここは…… 麗子さんは神戸一の大企業のひとり娘で… 中川さんは世界有数の財閥の御曹子 もう ひとりは日本の底辺で生きる下町のしょ民… こっ…この組みあわせは………
火の用心
底辺で悪かったな!
栗之助!
はい おぼっちゃま!
すぐ 家に帰るぞ! ヘリをもて!
はい ただちに
麗子さん 今日は 帰るが絶対 あきらめませんよ! ママと相談して また 再びくる!!
男の魅力を研究してくるさらば!
あれで少しは考え方が変わったんじゃない
キザなやろうだ チャーリー小林《こばやし》の弟か?

★週刊少年ジャンプ1981年28号

## 本《ほん》田《だ》クンまちがいさがしクイズ

Ⓐ図とⒷ図をよ〜く、見くらべてください。Ⓐとくらべて Ⓑのちがうところがなんヵ所あるか？　制限時間は10分です。さて、キミはいくつまちがいをさがせるか？　健闘をいのる。がんばってくれたまえ！

↓Ⓐ

# 白バイ魂！の巻

↓Ⓑ

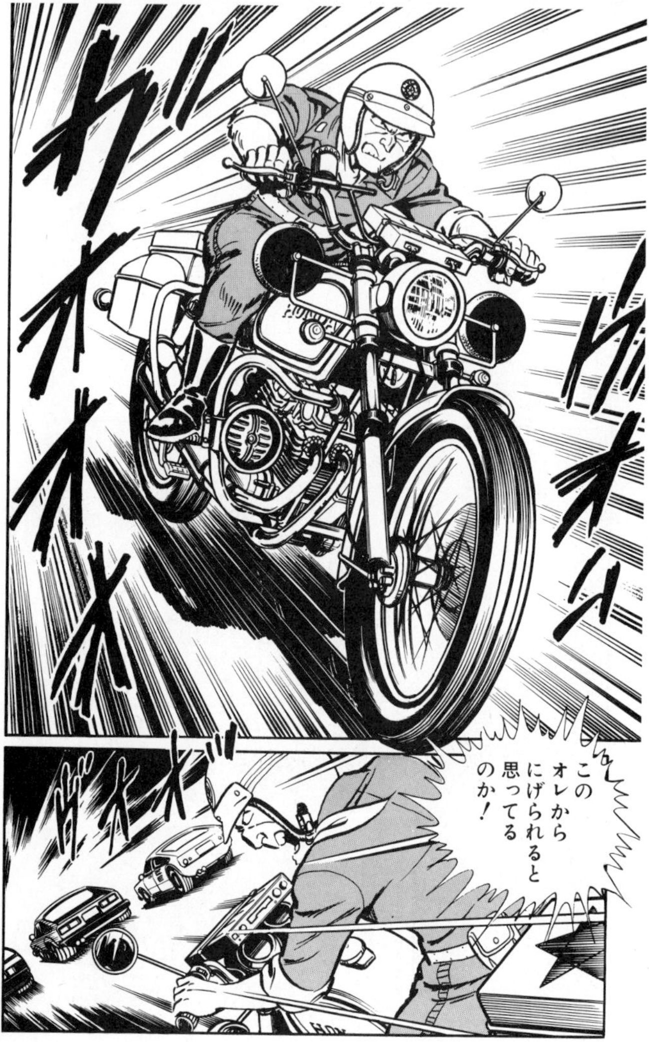
このオレからにげられると思ってるのか!

ようしもう追いつくぞ!
うっ
いったいどうしたんだ!
バイクが岩のようにかたまっちまったぞ!
ピカッ
うわあ━っ

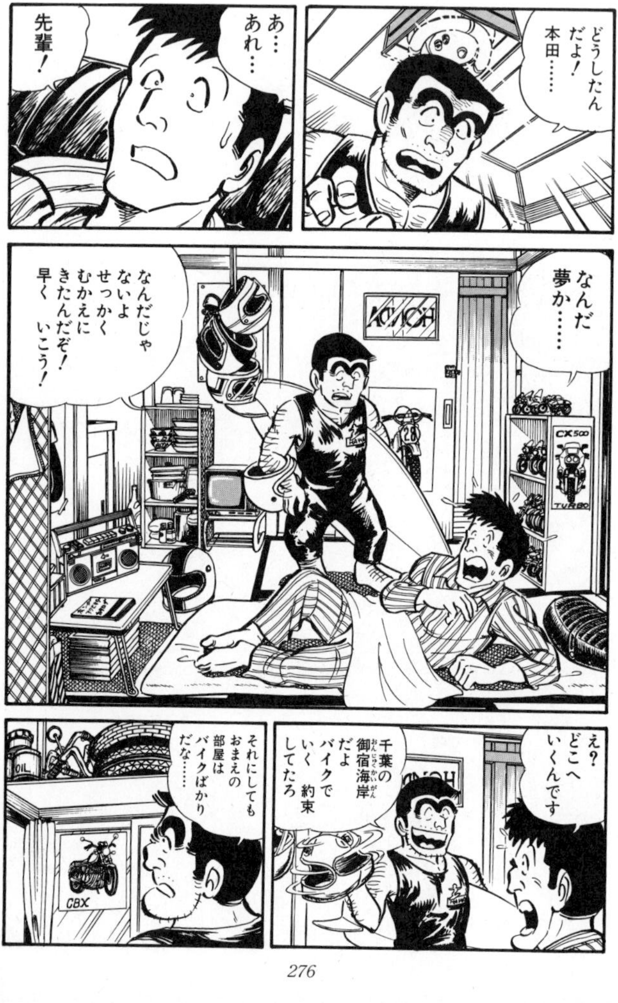
どうしたんだよ！本田……
あ…あれ…
先輩！
なんだ夢か……
なんだじゃないよ せっかくむかえにきたんだぞ！早く いこう！
え？どこへいくんです
千葉の御《おん》宿《じゅく》海《かい》岸《がん》だよ バイクでいく 約束してたろ
それにしてもおまえの部屋はバイクばかりだな……
CX500
TURBO
CBX
OIL

くっくくく………
おいどうしたんだ?
バイクを課長にとりあげられたんです
なんだと!
世間からは本田の取りしまりがゆきすぎだと苦情がきておる
まともにやってたら交通事故はへりませんよっ
うむ…なにぶん上からの命令でな…
60日間の勤務停止ときまった自宅謹慎してくれ
いつもハンドルをにぎってねてるんです
悲惨なものだな
なるほどそりゃひどい話だな
60日もバイクに乗れないなんて地獄ですよ
ふきん

毎日 夢にまでバイクに乗ってるところを見るありさまですよ……うっうう
ようしよくわかった
わしが交通課長に話つけてくる
ちょっとまってください!
話をつけるって手荒なことしないでしょうね
わからんなぐりあいはさけたいと思うが相手の出方しだいだ……
やめて! 免職になる! こないだも係長を2階からなげて減俸になったばかりでしょ
あれはまあいろいろと…
ガマンします60日間……今日は電車でいきましょう
電車かよナウくないなゲームセンターいったほうがましだよ!

前派出所
戦車 プラモデル コンテスト
派出所にて
本田さん 気の毒ですね
あいつから バイク とったら ぬけガラしか 残らん
ねえ そういえば
ん! なんだ
きのう 本田さん らしい人 水戸《みと》街道《かいどう》で みかけたわよ
まさか! あいつは 自宅謹慎中だ!
通る オートバイを ながめては ブツブツ いってたし…
う〜む 考えられる ことだな
ちょっと みてこよう 中川 こい!
はい!

BLACK HENTAI
スピード出しすぎると止ま
れなくなって事故るぜ!!
たしかこのあたりだな…
あれはRS《アールエス》だ!いい色だなあ
今度セル付きも発売されて…ブツブツ
あ…あれじゃないですか

おーい本田！
あっ今のはホンダGL《ジーエル》か ほしいなあ ブツブツ
ひゃあーっ ホンダゴリラだ
だれがゴリラだ！
すいませんスーパーカブさん
こいつ相当おかしくなってるぞ
中川 本田をつれて帰るぞ
そうしましょう！
きゃあーっ ウイングがホンダ1300クーペになる！
なにいってるんだこいつっ！
ぼくのお弁当！ロードパル弁当が！
そんなのおいてけバカ！
オートバイが！ぼくのホンダZ《ゼット》がなくなるゥ
ズル
ズル
早くつれていくんだ

相当重症のようね本田さん
これほどになるとは思わなかったよ……
よく きく症状だな
あっ部長！
今まで仕事ひと筋でやってきた男が定年で退職したとたんにガタッとふけこむのと同じだな……
生きがいをうばわれてうちこむものがなくなる……
日本人は勤勉だからなよけいショックが大きいんだ
なるほど本田は頭から足先までバイクずくめになってるからな
私など定年になったらこの時とばかりあそび回りますははは
勤務中でも十分あそんどるじゃないか
どうしたらいいですかね部長……本田このままじゃ再起不能ですよ
なにかバイク以外の趣味をもたせりゃいいな
趣味!?

人間 よく学び よくあそべ!だ 趣味は心のオアシス 仕事のストレスや つかれを とる 大切なものだ
私の場合は 剣道だな これは 闘争心をきたえ 警察官としての気迫を やしなう
ふむ なるほど
次に 茶道だ これは 平常心! 警察官としての 心のゆとりを やしなう
ふむ ふむ
次は 囲碁だ これは 戦略! 警察官としての 読みを やしなう
全部 仕事に 関係のある 趣味ばかりじゃ ないですか!
ううむ よく 考えると たしかに みんな 結びついて しまうな
私など 正反対 競馬 競輪 競艇 オート レース パチンコ ……なんと 多趣味なこと!
全部 ギャンブルで 金もうけが からんでるん じゃない ですか
うるさい!

ギャンブルは頭のスポーツだ おまけにあたればお金になる まさに趣味と実益をかねてる！
先輩は実益のみって感じがしますよ
ギャンブルでない趣味があるぞ ひとつ！
グイ
な なんですか それは？
宝クジだ！ すばらしい趣味だろ
あれこそ金もうけのみの最たるものですよ！ 予想もなにもいらない！
ばかっ 夢があるじゃないか！ 今の世に失われてゆく高額所得の夢！
そんなことより本田さんのこと考えてあげなさいよ
そうか… すっかり忘れていた…
先輩は金のことになると目の色がかわる
人間 欲がなくなるとおしまいだ
こいつになにか趣味をもたせんといかん

おい 麗子 ちょっと貸せ！
えっ
おい 本田 目をさませ こら！
グイ
ムニャ ムニャ
今日から おまえ 編み物をやれ いいか 死ぬまでやれ
えっ 無理だよ
無理もヤカンもない！ おまえ女っぽいから うまくなる！ プロになるんだ
やだあ ムチャだよ
よしなさいよ 趣味なんて強制するものじゃないわよ
こいつはバイク以外パープリンなんだから強制しかない
なんでも初めは初心者よ！ すきなの選ばせなさい
わかったよ
おまえ日本舞踊《ぶよう》やるか？
いやです
紙切りはどうだ？
刀鍛冶はどうだ？
いやっ

コレクションなんかどうです? 切手とかコインとか
よし それは簡単でいい
おまえ今日からコインをあつめろ
百円から50円 10円 5円……全部!
札もだっ 5百円 千円… 1万円… すべてだ!
わかったな!
こら! 強制するんじゃないといったろ!
そうよ 本田さんおびえてるじゃない
いや…… 本田くんのこと考えてですね
よけいなおせわというんだ! バカ
テニスなんか どう 体も使うし
ええ コインあつめより まだ そっちのほうが……
よーし きまった
さっそく練習しにいこうぜ
あっ

す早く
つれていっちゃった！
本田さんもつきあう友人を考えたほうがいいわね
亀有公
ようし いくぞ
はーい
せーの
でえい
ビシ
悪い 悪い あたった？
近すぎるんじゃないかと思うんだけど

ぼくはなにをやってもダメなのかなあ……
キキッ!!
あっ
なんの音だ事故か!?
あてにげだ!
ひどいやろうだ!車は!?
あっちににげたよ!

おえ！現場みたやつはおまえしかいない！
でももうはるか遠くへ…
おおいとまれ
ギ
ガ
な…なんだ
ひきにげだバイクかしてくれ
ええいいですけど…
本田これでおうんだ！
無理よ馬力がないわよ！
おまえならできる！ケガ人はわしがひきうけた
ババババ
うおおおおっ

★週刊少年ジャンプ1981年20号

親心…の巻

ジリリリリ
チャッ
はい こちら 亀有公園前 派出所です
先輩ですか はい 少しょう おまち ください
先輩は 四畳半 かな？
ゆうべ お酒で徹夜 したみたい ねむそう だったわ
プラモ つくり ながら 力つきて 寝てるよ！
注 部長と シンナーに 気をつけろ！
プラモ しめきり 5月4日
4月 1 M113～バリとり
2 色ぬり
3 しあげ
4 休み
5 人形せいさく
6～9 M4シャーマン
10～15 マルダー色ぬり
15～20 ジオラマせっせい
21～25 さつえい
26～30 そうしあげ
プラモ入門 パート1 バリの取り方
世界のタミヤ TAMIYA
1/35シリーズ
ぐおーっ
パチッ

そこまで無理してつくることないのに
先輩おきてくださいよ！
う…む中川か…おまえプラ製か？
なにいってるんですか！
ちょっと模型屋にいってプラカラーのうすめ液買ってきてくれよ…なくなった…
それより電話ですよ電話！
戦車に色ぬってたら気持ちよくなってなあははは
窓をしめきってぬるからですよ
今月中につくらないと「パチ」に間にあわないんだ…
おまえも戦車一台手伝ってくれよ…
はい はいあとで相談にのりますよ
はい！電話
わかったわかった
ピ
まったくねぼけて…
ん!?

だめですよ 電話に 接着剤を ぬっちゃ!
あっ そうか
表面が プラスチック だと つい クセが…
しっかり 目を さまして ください!
はい はい 両津 ですよ
えっ
ひろみさん ですか… こりゃ どうも!
ええ こっちも 元気です 食欲も あります!
部長? あれも 元気で こまってる くらいですよ ははは
新居《しんきょ》へ あそびに!? いいんですか そりゃ もう ぜひ!
お父さんも? あ…あれね! はい はい ぜひとも さそって いっしょに!
I LOVE MINORI
明日 いきます さっそく!
仕事? 別に だいじょうぶです 自由に休めるん ですよ 私は! ははは

はい それじゃ どうも
やせっぽっちのダンナさんにもよろしく
先輩 ひろみさんの新居にいくんですか？
ああ 明日な！
まだ 新婚でしょう？ そこへ図ずうしく いったら迷惑なんじゃない
むこうがきてくれと いってるんだ なにが迷惑だ！
ことばのアヤよ！ 本気でくると思わなかったんじゃない…
うるさいな
なにさわいでいるんだ両津！
あっ部長！

じつは ひろみさんに あそびに きてくれと たのまれ まして…
なにっ 両津が いくだと
なぜだ なぜ おまえが いくんだ
しりませんよ 部長と いっしょに きてくれって
なにっ わしも いっしょに……
ええ 明日 まってる からと!
部長は なん度か いったこと あるんでしょ
いや…ない 正月に きてもらった きりだが…
じゃ ちょうどいい いき ましょう!
しかし 新婚のところ じゃまをしに いくようで なあ……
それに 仕事も あるし… 無理だな
そりゃ 残念ですな
楽しみだな ひさしぶりに 栄養が つけられるぞ メシぬいて いこう!
どうも あいつの 行動が 気に なるな……

ジリリリ
いいよ ぼくが でるから
ん!
ジリリリン
接着剤で すっかり くっついて しまってる
まったく もう〜
ジリリリ
ジリリ
ねぼう しちまったよ いそげ いそげ!
あっ
よう 両津

部長！どうしてこんなところに！
気がかわってないく気になったんだ
ニコニコ寮
今日は仕事じゃないんすか？
有休をとってなさあいこうか…
ちぇっ本当にいくの？
両津ひとりじゃ心配だからな
教室
スポーツ用品M
青春電機
八百長
M
YAMA
山
バス

ブロロ…
このバス停をおりて50メートル先へいくと…
あったこのマンションですよ
スイカ洋品
オアシス書店
イルカストアー
かなり新しいマンションですな
このあたりは新築が多いからな
えーと507号室と……

あっ ここだ ここだ
あれ？ 部長 なにやって んです？
壁が 手ぬきだ 地震に なった時 心配だ……
そんなこと どうでも いいじゃない ですか
マンションの 火事も おそろしい スプリンクラー こわれて ないだろうな
心配性 だな…
マンションの 火事なんて めったにない だいじょうぶ！
ピンポーン
ネクタイ まがってない か 両津！
顔のほうが ひきつって ますよ
チャッ
いらっ しゃい
あはっ どうも！ あそびに きました

どうぞ! おまちしていましたわ
すいませんね どうも どうも
ずいぶん部屋の中片づいてますな
私の部屋など夢《ゆめ》の島《しま》なみですよ
まあ 大変ね
英男《ひでお》くんはいないのか…?
ちょっとタバコを買いにでてるの
このマンションすぐわかった?
そりゃあもう!

国道に面してるんだな夜はうるさくないか?
ガガ
ちょっとねでもバス停から近いし…
家賃はいくらだ6万円くらいか?
管理費ふくめて8万円よ
うひょやった!
そんなにするのか?暴利だな!
今はみんなそのくらいよ
この壁もあまりいいものは使っていないな
風呂場はどこにあるんだ
こっちよ
せまいけれどね
まるで子ども風呂だな

部長
現場検証しにきたんじゃないんすよ
そうだったな
食事はちゃんと英男くんにつくってあげてるだろうな
もちろんよもう！
いやあお父さんたちきてらしたんですか！
ようあいかわらずやせてるな
正月以来ごぶさたしてます
い…いや今日は両津にさそわれてね…
食事の用意ができてるわよ
すぐいくよ
ちょっと英男くんちょっと
えっ
ひろみのやつの食事はどうかね？うまくつくってるか？
ええひろみさんのつくるものはなんでもおいしいですよ

おとなしすぎるんじゃないか? ちゃんとしんせきづきあいもしてるかね
心配ないですよ 先日の法事の時も よくやってくれましたよ
ねえ なに 話してるの
いや なんでもない!
部長 さあ 早く! そこにすわってくださいよ えんりょしないで!
バカモノ なんで おまえなんかに えんりょするんだ!
いやあ お父さんがくるのは初めてですからね
まあ どうぞ 一杯!
そ… そうか
トクトク
両さんも どうぞ
こりゃ どうも! 今日のため ゆうべから なにも たべてないもんで ははは
トクトク

ところで英男くんひとつきいておきたいんだが……
はい
マンションを買うつもりはあるかね
え!? それは まあいつかは…
金融公庫を利用したほうがいい なんならわしが連帯保証人になるぞ
それはどうも
利率の低い公的融資返済方法もボーナス時との併済が…
部長部長
マイホーム不動産講義はあとにして今日は たのしくのみましょう
うむそうか!
正月以来ですよ はっはは こりゃ うまいっ ついでにウニやアサリのバター焼きがあればいうことなし
モシャモシャ
パクパク
お おい あまりがっついてたべるんじゃないぞ! こらっ
今日は両津さんの大好物のイクラも用意してるのよ!
やった! 気が つく 最高!

そのへんにしておけ！えんりょという感性がないのかおまえは！
あっ
こういう時でしかたべられないんですよ！今度はいつ再会できることか！
いやしいぞ家計のことを考えろバカッ
いいわよえんりょなくたべてちょうだい
ほらみなさいあのようにいってるじゃありませんか
えんりょするのは日本人の悪いクセですよ
ポイ
あとでおぼえていろ！
いやあくったくった10日分たべた！
酒もじつにうまい
お口にあえばうれしいわ

わしは少し横になる
えっもうのまないんですか?
両津さんどうぞもっとのんでください!
トクトク
どうもどうもタダ酒は口あたりがいいですな
すっかりお父さんも弱くなったわね……
ふだんはもっと 強いはずなんだけどね
あいかわらず口うるさいでしょう!
そうだな
部長のガンコは筋金いりだからな
毎日おこられっぱなしだよ!
よくも まあおこることがいっぱいあるよ人間ができてないね
わしのように若者の気持ちを理解してない!だめだねあれは!
でも気の弱いところもあるんだよ不思議と…
へえどんな?

あんたのことになるとてんでダメになる
今日は仕事休んできたくらいだからね仕事の鬼の部長が！
やはり人の親だよこれも…
どんどんのんでくださいよ今日は休みでしょう
トクトクトク
そう！いつも休日！自由出勤ははは
…………
すっかりごっそうになっちゃって！
またあそびにきてくださいね………
お父さん気をつけて帰ってください
だいじょうぶ！だいじょうぶ！
じゃあなバイバイ

★週刊少年ジャンプ1981年21号

# バーバーの恐怖の巻

AMAZONAS

うおっす
先輩 どうしたんです その頭
頭がどうかしたか…
だいぶのびてきてボサボサですよ
そうか このところ金が なくて いってないからな…
菅原《すがわら》 文太《ぶんた》みたいでいいんじゃないか…
前のほうがよかったですよ
麗子 ハサミかしてくれ
いいわよ
チョキ
チョキ
きゃあーっ なにするのよ！

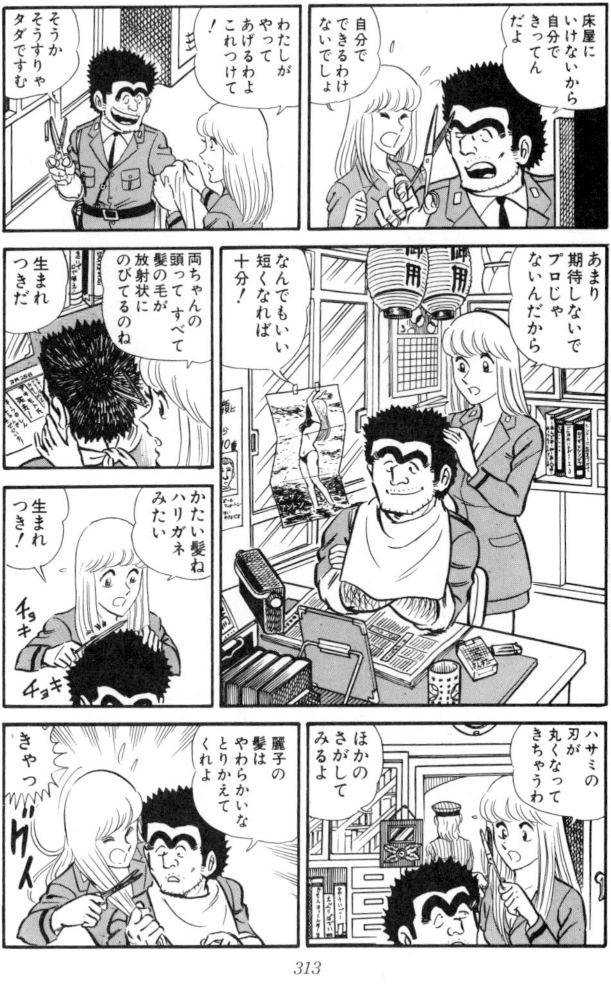
床屋にいけないから自分できってんだよ
自分でできるわけないでしょ
わたしがやってあげるわよこれつけて!
そうかそうすりゃタダですむ
あまり期待しないでプロじゃないんだから
御用
御用
なんでもいい短くなれば十分!
両ちゃんの頭ってすべて髪の毛が放射状にのびてるのね
生まれつきだ
かたい髪ねハリガネみたい
生まれつき!
チョキ
チョキ
ハサミの刃が丸くなってきちゃうわ
ほかのさがしてみるよ
麗子の髪はやわらかいなとりかえてくれよ
きゃっ
グイ

髪の毛
勝手に
さわらない
でよ！
ザク
ぐふっ！
ばか！
ハサミで
つつくな
死んじまう
だろ！
ごめん
なさい
ついはずみ
おそろしい
やつだ
女は逆上
すると
なにするか
わからん
ジャキ
ジャキ
変な
ことする
からよ
奥に
バリカンが
あったよ
本当!?
ずいぶん
古そうね
サビてるわよ
だいじょう
ぶだよ
角がりは
バリカンの
ほうがいいよ
カチャ
あっ
ガキッ
いてててっ
ててて！
ガバッ
バッチリ
ね！
使えるわ
バリ
バリ
バリ

いててっ
早く　とれ
からまった！
それが
なかなか
とれない
のよ
よい
しょっ！
ブチ
ぎゃあ
──っ
あっ
こいつ！
毛が　ぬけち
まったじゃ
ねえか！
ぼくが
かわるよ
芝を
かるのと
同じ要領で
やれば
いいわけだ
御用
御用
ガチャ
ガチャ
おい　おい
同じところ
ばかり
かるな！
なんか
頭が
デコボコ
だぞ
バリカンの
切れが
悪くて
思うように
……
いてっ
ガリ
ガリ

またバリカンが頭にかみついていてて…
ちょっとあばれないでください
東京都地図
うーむ毛がバリカンにくいこんでいるな
ヘタにやるとまたぬけるわよ
先輩やはり床屋にいったほうがいいですよ
ここまでやっといてそんなことというな!
じゃ床屋代2千円あげるからいってらっしゃい
ちぇっ
先輩帽子かぶっていたほうがいいですよ
ちぇっ結局は床屋ゆきか!
まっ床屋代をもらっただけ得したな
交通安全

甲斐理髪店《かいりはってん》
質 流屋本店 CM
近所じゃ一番 安い この店に いくか…
お客さん 募集 お1人 300円
理髪店
休みか…? カーテンが しまってるぞ
おう
なんだ ちゃんと いるじゃ ないか
すいません 今日は お昼から なんですが…
スペース 葬儀店
火の用心

おまえがいるじゃないか
まだ見習い中なんですマスターたちは研修で午前中いないもんで…
桑原茂一
そうか新前かでも 頭くらいかったことあるだろう
いえ!まだお客さんは一度も……
よし!わしが実験台になってやろう
え!私がやっていいんですか!
マスターにみつかったらおこられちゃいますよ
心配するなここのマスターとは友人だだまっててやる
そのかわりタダだぞ練習だからな
は…はい
桑原《くわはら》茂一《もいち》
これで2千円はもらって床屋代は タダ頭は使いようだくっくく
だいじょうぶかな いままでネコしかやったことないからなァ人間は初めてだ…

では やらせて いただき ます
おや?
お客さんの 髪かざり かわった 趣味ですね
テクノだ ちょいと 重いがな
シャキ シャキ
ほう さすが プロだ 音が ちがうよ
ふあああ 床屋にくると どうも 眠くなる
えーと 角がりの 場合は 大体 こんな もんかな
ぐぉぉ
スペース葬儀店
家具の裕美
MG
ヘアスタイルのすべて
ついでに 子どもの かりあげの 練習も しておこう
ビィイイーン
ぐぉぉ
モミあげも おとした ほうが ナウイんじゃ ないかな
パチン パチン

いよいよ顔そりだ これがむつかしい……
いつも風船で実験しているんだが……
気をおちつけるため 今一度練習だ
キュ キュ
きゃっ
どうものど元に近づくと刃をたてるクセがあるな…
ドキドキ
血止めを十分 用意しといたほうがいいな
うっ ずい分ヒゲがこい人だ ひっかかるよ
まるで岩をけずってるようだ
ソリもいれとこう ぼくのオリジナリティをださないとな
ゾリ ゾリ
あっ
ブルッ

やってしまったおそれていたことを！
恐怖のまゆなし人間だ！
どうしようこの人はこわそうだ！殺されるかもしれん
考えるんだヘアデザイナーとしての将来もかかってるぞ
よし！
もはやこれしかない！
バランスをとるためもう　片方もおとしてしまおう！
……
……
こ…こわい!!
大山倍達《おおやまますたつ》より迫力がある！

う…う…む もう おわったのか……
ザッ
ま…まだです まだ みない ほうが お客さまの ため！
う…む そうか たのむぞ
さーて どうするかな まゆ毛の アデランスは ないし……
マジックで かこう それが 一番だ
キュッ
ぐぉ
こう だったかな ちょっと ちがう気が するけどな
そうだ つながって いたぞ それも太くて 一直線……
キュッ
キュッ
お……おい なにしているんだ
あっ…いえ おわりました！

おっ バッチリじゃないか！
そりゃあもう！
男のシブさがでてるな
ええ 後頭部もシブいです
タオルもってきてくれ 顔を ふいてさっぱりしたいんだ
げっ
顔を ふく
顔は そのままのほうがいいです フロもひかえてください
ガッ
そうか
これからも練習させてやるからなちょいちょいくるよ
いえ けっこうです ありがとうございました
つたえーておーくれ 12月の旅人よ〜〜
ああ…良心がいたむ……
あんな姿で町を歩かせていいんだろうか……？

むふふ 世間の視線を感じる…
わしほど角がりの似あう男はそうざらにはおらん むふふふ
スペースシャトル
GIG
よう! 床屋にいってきたぞ!
かっこいいですよ先輩!
スネークマン
あら きれいになったわよ

町中で
みられて
まいったよ
はっははは
先輩は
ああいうのが
趣味に
なったの
かな?
若者に
対抗して
るんじゃ
ない……
なんだ?
なにが
趣味
なんだ?
いえ
別に…
先輩
顔の感じ
ちょっと
かわったんじゃ
ないですか?
いや
どうも
しとらん
すごく
平面的
ですよ
あっ
おちた!
なにっ
マジックで
かいてある!
そんなバカな!
ゴシゴシ
あっ
両方の
まゆが
ない!
持出禁止
きっと
そりおと
されたん
ですよ

うしろだってこのとおりですからね
ぐおっ!!
あの新前タダだと思って失敗しやがったな
メラメラ
タダでやらしたんですか!
あいつの頭もそってやるぞ!
ビュッ
あっ
大変だあの頭でとんでいった
すぐおいかけたほうがいいわ!
化け物にしたのはどこのどいつだ!
見習いでもいいといったのはあなたでしょう
家具の裕美
きゃあおばけ!!

こちら葛飾区亀有公園前派出所⑲（完）

★週刊少年ジャンプ1981年17号

# 解説エッセイ「ボクら『こち亀世代』と名乗りたいけれど……」

串間　努（日曜研究家）

マンガのタイトルのネーミングを研究した成書《せいしょ》が過去にあるかどうかはしらない。ボクがなんとなく調べた範囲では、昭和三十年代は主人公の名前をストレートに記したものが多いこと、昭和四十年代になってから主人公の名前に、何か修飾語をつけたものが出てくることが判明している。とくに前者では『ナガシマくん』とか『マジックボーイ』などのくん付けやボーイ付けが頻出している。後者では『天才バカボン』『あしたのジョー』などが挙げられる。

タイトルイコール主人公名という図式を脱したのが『こちら葛飾区亀有公園前派出所』だ。その文字数の長さ、その奇抜さで飛び抜けていた。そして、作者名は「山止たつひこ」。え？と驚かれる若い読者もいるかも知れないが、第一回が発表されてから二年間は、当時、『がきデカ』という人気ギャグマンガをヒットさせていた「山上たつひこ」氏をもじった名前だったのである。主人公が同じ警官という職種で、決して「山下」にするのではなく、「上」に一本加えて「止」にするあたりのセンスにボクらはビックリして拍手を贈った。
その『こち亀』が連載二十年を超えたと聞いて、年月の経つことの速さに驚く。こち亀の連載が始まった昭和五十一年は、ボクが中学に入学した年だ。ボクにとっては『少年ジャンプ』の黄金時代は小学五〜六年生の時で、中学に入ってからも、その余韻は続く。
小学生の頃は「○○商店は土曜日にジャンプを売っているぞ」などの情報をつかむとすぐに買いに行ったものだ。まだ読んでない友人が耳を押さえて「や、やめてくれー」というのに、ワザと先週のストーリーの続きを聞かせたりした。ちょうど石油ショックの頃で、束の厚さを誇っていたジャンプがページ数を減らし、薄くなっていた時である。
こち亀が始まった時の両さんは、今よりもっとマンガ離れした顔で、劇画的なペンタッチに近かったと思う。二十年も経てば線もこなれていったのであろう。ヘンな意味ではなく、まさか『こち亀』が二十年以上も連載を続け、同じジャンプ誌上の数々の人気マンガの最後を見送っていくとは誰がその時予想しただろう。
長く連載を続けたのには訳があるはずである。ギャグセンスが良いとか、『男はつらいよ』の寅《とら》さんを見ているような安心感だとか、大原《おおはら》部長や中川《なかがわ》などのバイプレイヤーの存在感という指摘ができるのはもちろんだが、根底にある人気持続の理由はそうではない。読者層と秋本治氏の嗜好がマッチしたことにあるとボクはにらんでいる。両さんの言動は作者秋本氏の投影と考えてもよいだろう。両さんがビー玉やベーゴマが大好きで、駄菓子屋チックな感性を持っていることは随所に出てくる。例えば単行本第63巻の第8話では、

「このレンズ方式は昔「冒険王」という
月刊漫画誌の付録に
「カメラ」がついていた
そのレンズと同じだ！
ふだん「少年」を
買ってるわしは付録の
カメラにつられて うわきし
「冒険王」を買ってしまった
カメラはすべて紙とワリピンで
構成され 印画紙と現像の
セットまで入っていて
ちゃんと写ったのだから

すごいだろ！」

という両さんのセリフが一コマにぎっしりと詰まっている。普通のマンガはこんなに語らない……（ここでボクに突っ込ませてもらうと、『少年』（光文社）の付録にもカメラはついていた。27年7月号、28年6月号、29年2月号、29年8月号、30年11月号。特に28年のは割りピンどころではなく金属製だ。現像液用の粉末がなくなると、編集部で通販していたくらいである）。

どう考えても秋本氏が、子どもの遊びやB級文化に関心が深いということがよくわかるではないか。「コレクション」とか「おもちゃ」についての造詣の深さがうかがえるマンガは、おそらく『こち亀』が初めてではないか。秋本氏がマンガの上で両さんを通じて自分の嗜好を語らせていた時、まだ今のような「お宝ブーム」とか「フィギュアブーム」というコレクト文化は世間になじんではいなかった。「GIジョー」や「超合金」は子どもの時代に終わりにするべき文化であるという観念が強かった時期に、あえてそれらのウンチクをマンガで語らしめた功績は大きいと思う。「大人がおもちゃの話」をしてもいいんだ……。という衝撃が、ボクには少なからずあった。週刊マンガ雑誌が登場した時、「マンガは子どもが読むもの」という通念がまず打破されたが、次には「大人が玩具を買ったり語ってはいけない」という通じたのだろう。

壁はないんだということを、両さんすなわち秋本氏は教えてくれた。これがボクたち昭和三十年代後半以降生まれの、アニメや映画、おもちゃやマンガなどの趣味に没入する傾向と相通じたのだろう。

そしてもうひとつ指摘できるのは、『こち亀』はスポーツ根性マンガやSFマンガと違って、昭和という現実世界を反映していたことである。作品発表時のトレンドを随所に取り入れているのが、マンネリを防ぎ、読み返しても面白い一因だといえる。驚く事にこれはヤングジャンプ賞に入選したときからの流れであり、その時の扉には「アグネス・ラム来日」と小さく書いてある掲示板が描きこまれている。これをみれば、「そういえば中一の時アグネス・ラムが人気だったなあ」と感慨にふけることが出来、当時のあれやこれやの思い出が甦ってくるではないか。

ホントは、『ボクらこち亀世代』と名乗りたいくらいなのだが、連載が今も続いている以上、それができないのが残念だ。ゆくゆくは『サザエさん』のように昭和の世相・ブームが研究できるような、現代風俗研究の文献になることは間違いないだろう。

掲載作品は集英社より刊行されたジャンプ・コミックス『こちら葛飾区亀有公園前派出所』第24巻（1982年12月）第25巻（1983年3月）第26巻（同6月）の中から、著者自らが精選して収録したものです。

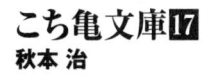

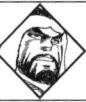

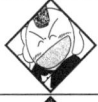

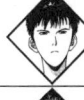

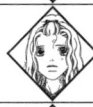

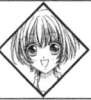

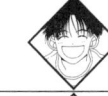

集英社文庫（コミック版）

こちら葛飾《かつしか》区《く》亀有《かめあり》公園《こうえん》前《まえ》派《は》出所《しゅつじょ》 19

1998年8月16日　第1刷
2009年7月31日　第3刷

定価はカバーに表示してあります。

著　者　秋《あき》本《もと》　治《おさむ》

発行者　太田富雄

発行所　株式会社　集英社
東京都千代田区一ツ橋2－5－10
〒101-8050
03（3230）6251（編集部）
電話　03（3230）6393（販売部）
03（3230）6080（読者係）

印　刷　図書印刷株式会社



造本には十分注意しておりますが、乱丁・落丁（本のページ順序の間違いや抜け落ち）の場合はお取り替え致します。購入された書店名を明記して、小社読者係宛にお送り下さい。送料は小社負担でお取り替え致します。但し、古書店で購入したものについてはお取り替え出来ません。



Printed in Japan
ISBN4-08-617119-8 C0179